講談社文庫

マドンナ

奥田英朗

講談社

目次

マドンナ

マドンナ

1

倉田知美《くらたともみ》が定期人事異動で営業三課にやってきたのは六月一日のことだった。課長の荻野春彦《おぎのはるひこ》は、事前に名前と簡単なプロフィールだけを総務から知らされていた。仙台出身。四年制大学を出て四年目というから歳は二十五か六。前の所属は海外事業部で翻訳業務を担当。社内及び取引先にコネはないということだった。

コネがあると上司はそれとなく課内に知らせなくてはならない。女子社員の場合はとくにだ。へたにちょっかいを出すなという警告の意味がある。

対面するのはその日が初めてだった。素直な子ならいいな、と春彦は思っていた。直属の部下が扱いにくい人間では困る。女子の場合はなおさらだ。そして好みのタイプではなければいいな、とも思っていた。好きになると、仕事がしづらくなる。

だから目の前に現れた知美を見たとき、春彦は胸を躍らせながらも、自分の先行きを案じていた。

知美は完全に好みのタイプだった。

異性として意識せずにはいられない、匂いのある女だった。

「ふつつか者ですがよろしくお願いします」

知美が緊張した面持ちで頭を下げ、照れたように白い歯をのぞかせた時点で、春彦は「好きになってはいけない」と自分に言い聞かせていた。

春彦に部下の女をどうこうしようという意思はない。となれば、心の乱れる日々を送るはめになるだけなのだ。

四十二歳の春彦は結婚して十五年になる。その間三回、部下の女を好きになった。ただし一度も関係をもったことはない。春彦の場合、いい子だなと思った瞬間から夢想がはじまる。頭の中で恋愛物語を楽しむ。ただそれだけだ。

この夢想は好きになった女の退職や異動、あるいは恋人の発覚で終わり、また元の平穏な日々に戻ることになる。罪のない遊びといえば遊びだ。

行動に移さないのは、妻を裏切りたくないからではなく、勇気がないからだ。たぶん自分は色事に不器用な人間なのだろう。恰好をつけ過ぎる。女に対してうぶな幻想を抱いている。もちろん社内の噂も怖い。この歳になれば、自分の度胸のなさは自覚知美は落ち着いた印象の女だった。それが春彦の心の琴線をかき鳴らした。いかにもなキャリア・ウーマン風だったり、派手な顔立ちの女なら、はなから対象外だっただろう。知美は春彦にも手が届きそうな女だった。社内で評判になるほどの美人でもなく、自意識の強い野心家でもなく。

果たして春彦の見立ては的外れではなかった。

最初の二日間、知美を連れて得意先回りをしてわかった。知美の応対は実に心地よいものだった。過剰に愛想を振りまかず、媚《こび》も売らない。それでいて相手に好印象を与えている。女を武器にしない子だなと思った。

「お酒の接待というのはどこまで付き合えばいいのでしょうか」移動の電車の中、知美はこんなことを聞いてきた。「できればクラブのような所は失礼したいのですが」

遠慮がちではあるものの、自分の希望もはっきりと述べた。

春彦は、女子が接待を担当する場合は原則として課長である自分が同伴すると伝えた。そのときの知美の安堵《あんど》したような表情は、春彦の胸をキュンとさせた。

いよいよまずいな――。春彦は心の中でつぶやいていた。

その晩から知美のことを考えるようになった。自宅で風呂に浸《つ》かりながら、知美との会話を一人夢想していたのだ。

やっぱり好きになっているのか——。

春彦はため息をつき、この夢想が早く終わってくれることを祈っていた。

金曜の夜、知美のためのささやかな歓迎会を開いた。営業三課は春彦以下七人という陣容で、平均年齢が三十代前半という若い部署だ。女子は庶務の真里《まり》がいるだけで、総合職の知美は事実上の紅一点といえた。

全員で飲みにいくのは珍しいことだった。春彦は部下のアフター・ファイブまで束縛するつもりはない。それに上司と一緒では会社の悪口も言えないだろうとの遠慮があった。仲間意識は持ちつつも、公私はきちんと分けようというのが春彦の考え方だ。

中華料理店の丸いテーブルで、春彦は知美を隣に座らせた。一応主賓《しゆひん》のわけだし、不自然ではなかろうとそうした。かすかな化粧の香りが春彦の鼻をくすぐった。真里だと気にもならないことなのに。横顔を見たとき、つい胸に目がいってしまった。

「倉田さん、ゴルフはやるの?」

早速山口が聞いた。二十八歳の山口は自ら「三課のホープ」を称する調子のいい男だ。

「やったことないんです。始めないとまずいですか」知美がちらりと春彦を見る。

「そりゃあまずいよ。営業が——」山口が声をあげるのを制し、春彦は始めなくてもいいとほほ笑んで答えた。

「ゴルフや麻雀《マージャン》なんてのはオジサンの趣味だから、無理に付き合わなくていいさ。展覧会のチケットを贈るとか、そういうものの方が女性らしくていいんじゃないかな」

「別に接待目的じゃなくても始めなよ、ゴルフ。面白いよ」山口が食い下がる。

「ふふ、そうですね」

「ぼくが教えてあげる。ハンディ二〇だけど」

「じゃあ、そのときはお願いします」

「やめた方がいいですよ」真里が口を挟んだ。「山口さん、すぐむきになるから。営業部の課別対抗コンペがあったとき、二課の人と球を動かした動かしてないで喧嘩になったんですよ」

「ちがうよ。あれは二課の同期の奴が……」

山口が懸命に言い訳するのを見て、知美がおかしそうに笑っている。真里が話をまぜっ返してくれたおかげで座がいっきになごんだ。

真里と知美が仲良くなってくれればいいな。春彦はそんなことを思った。女子の一般職と総合職はどこか張り合っているところがある。女子が仲のいい部署は全体がうまくいっているものだ。

みんなで料理を口にしながら、知美に話題をふっていく。もっぱら質問会のような形になった。知美はそのつど食事を止め、口の中を空にしてから答えた。真里が肉団子を頬《ほお》ばりながらしゃべるのとは大ちがいだ。

大学では英文学を専攻。好きな作家はポール・オースター。趣味は映画鑑賞で、俳優はスティーブ・ブシェーミがお気に入り。

「誰それ？」春彦が聞く。

「渋い中年の脇役です。ちょっと神経質そうなところが好きなんです」

「ブラッド・ピットとかじゃないんだ」

「あ、わたし、絵に描いたような二枚目は苦手なんです」

知美の答えに春彦の心が浮きたった。もっとも渋い中年が好みなのではなく、その俳優個人が好きなのだろうが。

知美はジョッキ一杯の生ビールで頬をピンク色に染めていた。可愛いと思った。ただしいける口らしくおかわりもしていた。

二次会は全員でバーへ行った。「荻野さん、珍しいですね」と山口が言っていた。ふだん春彦は一次会だけで帰ることにしていた。あとは若い連中だけでやれという配慮だ。でも今夜は最後まで付き合うことにした。

ここでも知美は春彦の隣に座った。たまたま入った順に席に着いただけだが、悪い気はしなかった。

酒が入っても知美は変わることがなかった。ちゃんと敬語を使い、なれなれしい口を利《き》くことはなかった。前の部署での裏話を楽しそうに話していた。愚痴は笑顔でくるみ、決して厭味にはならなかった。

結局バーを出たのは午前零時近くだった。部下たちと大いに飲み、大いに笑った。こんな夜は久しぶりのことだ。たまにはとことん付き合うのもいいなと、春彦は心地よく痺《しび》れた頭で思った。ゲストなので知美のぶんは春彦が払った。

そしてタクシーを捕まえる段になって春彦は知美に聞いた。

「倉田君、自宅はどこなんだっけ」

「中目黒です」

「あ、おれ駒沢。同じ方向だ」山口が横からしゃしゃり出た。「一緒のタクシーで帰ろうか」

「じゃあ、そうさせてもらいます」と知美が答える。

「タクシー代は山口に払わせればいいからな。こいつはパラサイト・シングルだから金持ちなんだ」

春彦が軽口をたたいた。けれど心の中はかすかに波立っている。

「荻野さん、ごちそうさまでした」

去り際、知美は丁寧にお辞儀をすると、山口と二人でタクシーに乗りこんだ。見送りながら、何かに焦《あせ》るような気持ちが込みあげる。

いかん、いかん――。春彦は一人かぶりを振り、大きく息をはいた。部下に順にタクシーをあてがい、自分は最後に一人で乗った。行き先を告げ、ネクタイを緩《ゆる》める。シートに深くもたれながら、自分を落ち着かせようとした。

春彦の夢想がやっかいなのは、同時に嫉妬《しっと》心が芽生えてしまうことだった。あのタクシーの中、知美は山口に口説《くど》かれているのではないだろうか。ついそんな心配をしてしまうのだ。

やはり好きになってはいけないのだ――。春彦は自分に言い聞かせている。でも、どうすればいいのかまるでわからなかった。

土曜の朝、真っ先に考えたのは知美のことだった。

ゆうべはちゃんと帰ったのだろうか。まさか知美が山口と一夜にしてデキてしまうことはないだろう。けれど二人が同じタクシーに乗ったことだけでも、胸中穏やかではない。休日だというのに春彦の心は晴れなかった。

山口が女に手が早いという話は聞いたことがない。でもあれでけっこう洒落者《しゃれもの》だ。野球部出身で体格もよく、女にもてないことはないのだろう。

山口に恋人はいたっけ——。いてくれるとありがたいのだが。

春彦は部下のプライバシーに立ち入らない。だから恋人の有無までは知らない。いっそのこと知美に恋人でもいてくれないかと春彦は思う。実は学生時代から付き合っているフィアンセがいるとか。そうすれば自然と夢想もやむことになる。

「ねえ、デパートに連れてってよ」

遅い朝食をとっていると妻の典子《のりこ》が言った。

「子供の昼飯はいいのかよ」

「葉子は部活。淳はサッカー少年団。お弁当持たせてあるから二人とも帰りは夕方」

「ふうん」

「もう夏だし、カーテンを替えたいのよ」

仕方なく承諾した。ガレージから車を出し、夫婦で新宿のデパートへと向かう。

「ねえ、物流部の大西さん、離婚したんだって？」典子が助手席で口を開いた。

「何でそんなこと知ってる」

「優子に聞いた。部下との不倫がばれて修羅場《しゆらば》だったんでしょ」

典子とは社内恋愛の末の結婚だった。だから退職して十五年も経つというのに、いまだに会社のことを知りたがる。優子というのは典子の元同期で、同じように社内の男と結婚した。たがいに情報交換しているのか、噂は現役社員並みに詳しいのだ。

「奥さんが会社に乗り込んできたとか」

「それは作り話。テレビドラマじゃあるまいし。弁護士がやってきて不倫相手と大西さんをロビーに呼び出したんだよ」

「そっちの方がテレビドラマみたいじゃない」典子が声のトーンをあげた。「ロビーには面談中の社員がいっぱいいるわけでしょ。宣伝したようなものじゃない」

「まあ、そうだけど」

「女の子は辞めたの」

「ああ。いづらいだろう、いくらなんでも」

「大西さんは左遷？」

「さあ、どうかな。大人同士のことに会社はあまり口を挟まないけどね」

「ふうん、男は大目に見られるんだ」

典子が口をとがらせる。ハンドルを握りながら春彦は少しだけ顔が熱くなった。知美への夢想を見透かされたような気がしたからだ。

デパートではカーテンや食器を買った。子供の服も買った。そして紳士服売り場でシャツのセールをやっていることを知り、「夏は何枚あってもいいから」と典子が買うと言いだした。もちろん異存はない。

ただ、いざ売り場に足を踏み入れると、春彦は新しいスーツが欲しくなった。

「どうしてよ。今年の夏は新調しなくていいって言ってたじゃない」

「気が変わった。得意先のパーティーとか、けっこうあるし」

「お金あるの」

「あるよ。パソコン買い替えるのやめたし」

「じゃあ、わたしもスーツ買う」

「そんなもん買ってどこへ行くんだよ」

そう口にした瞬間しまったと思った。案の定、典子はふくれっ面《つら》になり、「どうせ専業主婦は出かけるところなんかありませんよ。亭主は一人で遊びに行くし」とあてこすりを言う。仕方なく、近々フレンチ・レストランへ連れていく約束をし、なんとか機嫌を取り戻してもらった。

春彦は明るいグレーのスーツを試着した。

「これ、若作りなんじゃないの」典子が横で言っている。「だいいち三つ釦《ボタン》じゃない」

「いいんだよ、たまには」

鏡に映った自分を見て、春彦は満足していた。背は高い方だ。腹も出ていない。髪もふさふさだ。少なくとも、若い女が並んで歩くのを厭がるような容貌ではない。知美が見たらなんて言うだろうな、と想像した。きっとお似合いですよと言ってくれるはずだ。少し甘い気持ちになる。

鏡をうしろからのぞいている典子と目が合った。慌《あわ》てて咳払《せきばら》いをする。

「あなた、会社の女の子にもてようと思ってるんでしょう」

典子は腕を組んでいた。十五年も連れ添うと、何でも見通されてしまっている。

家で知美の話は避けようと思った。まだ新しい子が入ったと伝えてあるだけだ。話題にしたら、典子は皺《しわ》のかすかな動きまでも見逃さないだろう。

月曜日、出社すると知美はあらためて週末の歓迎会の礼を言ってきた。

「タクシー代、山口に払わせた？」

春彦が軽い調子で聞く。実のところ金曜の夜のことがいちばん気にかかっていた。日曜も、春彦はずっとあらぬ想像に気を揉《も》んでいたのだ。

「割り勘にしました。総合職ですから、男子とは同じ給料をもらってます。これからはお酒も割り勘でけっこうですから」知美がにこやかに言う。

心がすっと軽くなるのがわかった。知美はそうそう男に隙《すき》を見せる女ではない。きっと身持ちは堅いのだ。

山口ともとくに親しげに口を利くことはなかった。気分よく週の始まりを迎えられそうだった。

ただし買ったばかりのスーツについては一言もなく、少なからず落胆した。

だから部下を好きになるとやっかいなのだ。気持ちの揺れが大きく、まるでウブな中学生に戻ったような心境だ。

2

あれこれ気を揉むものの、恋をすると毎日に張りがあるのも事実だった。知美にいいところを見せたいという思いから、春彦は仕事をてきぱきとこなしていた。部下の一人がほかの課の失態を押しつけられそうになったときは一緒になって戦った。部長に食ってかかりながら多分に知美の目を意識していた。

ささいなことで心が弾んだりもした。課で二人きりになったとき、知美がコーヒーをいれてくれた。それだけで一日がしあわせだった。

もっともやはり気を揉むことの方が多い。得意先からの帰りが遅くなったりすると、もしかして好色な担当者に口説かれているのではないかと心配になった。部下たちと昼食をとった際、知美が別の男の隣に座っただけで小さな嫉妬を覚えたりもした。

知美と真里は仲よしになってくれた。知美が総合職にしてはお高くとまっていないからだろう。昼食はたいてい二人で食べている。春彦は安堵していた。男の同僚と仲よくなるよりはずっと気がらくだ。

その日は午後に課長会議があり、終わったのは日が暮れたころだった。

「おい、荻野。たまには一杯いかないか」

営業一課の北原《きたはら》に誘われた。北原は同期で気のおけない友人だが、競争相手でもある。係長になったのも課長になったのも一緒だった。ただし北原の方が花形部署で、見えない差はついている。六本木の小料理屋で差し向かいになった。

「新潟支社へ行った藤沢から電話があったぞ」先に北原がビールをついでくれた。

「食い物がうまくて三キロ太ったってよ」

「へえー、よかったじゃないか。辞令を受けたときは暗い顔してたのにな」

「馬鹿。負け惜しみだよ。単身赴任で外食ばかりってことだろう」

入社して二十年も経つとそろそろ同期たちの人生模様が浮きでてくる。退社した者、出向した者、部長に抜擢《ばってき》された者。年収にも差がつきはじめ、集まる機会はめっきり減っていた。自分は中の上ぐらいだろうと春彦は思っている。

「横井ん家《ち》は上の息子が登校拒否だってよ」

春彦の年代はそんな話題もあがるころだ。全員が家のローンを抱え、子供の教育に頭を悩ませ、親を看取《みと》る準備をしている。互いを知り過ぎているから見栄の張りようがない。

二人でもっぱら会社の話をした。最近は映画も見ないし本も読まないし、共通の話題といえば会社のことしかないのだ。

北原がもう一軒付き合えと言うので、歩いて少しのクラブへ行った。北原がホステスを指名し、若い女たちが両脇を埋める。どうやら北原は常連らしく、ホステスたちと親しげに口を利いていた。そして彼女たちが席を外した隙をみて、北原が春彦に耳打ちした。

「あの赤い服のリエちゃんな」小指を立てる。「おれのコレなんだ」

驚いて北原を見た。北原は少し照れながらも、不敵に口の端を持ちあげた。

「二十歳《はたち》の短大生。本職じゃないからあんまりスレてなくてな。可愛いんだ、これが」

ああそうなのか。春彦は北原が誘った理由がわかった。同期の仲間に自慢したかったのだ。若い浮気相手がいることを。

「この前、京都の出張にも連れていったんだ。柄にもなく寺院巡りなんかしちゃったよ」

「金がかかるんじゃないのか」

「そのへんはやり繰りよ。経費にもぐりこませる手もあるしな。おっと、誰にも言わないでくれよな」

「当たり前だ」

苦笑しつつも悔しかった。別の客の相手をしているリエという女を見る。北原はあの女と関係を持っているのか。

せめてもの救いは春彦の好みのタイプではないことだった。鼻は低く目も小さい。化粧を落とせばきっと十人並みだろう。そんな負け惜しみを思ってみた。

「おまえは浮いた話はないのか」グラスを傾けながら北原が言う。

「あればいいんだけどな」

「カミさん一筋か」

「おう。この前町内でグッド・ハズバンド大賞をもらってな」

「あほか」

二人で笑った。

春彦に浮気の経験がないわけではない。三十のとき一度だけあった。別部署の総合職の女と酒を飲み、成り行きで関係をもったのだ。春彦は舞いあがった。当分はこの関係を楽しみたいと思った。男としての器量があがった気になった。

けれどそれはまったくの一人相撲《ずもう》だった。女は翌日から他人の顔に戻っていた。ほほ笑みかけても目をそらされ、あの夜の出来事が女の気まぐれだったことを思い知った。

春彦は自分の馬鹿さ加減がいやになった。男がそうであるように、女にだって性衝動はある。春彦は勝手に勘違いし、浮かれていたのだ。

「おれたちも今年で四十三だ。何か潤《うるお》いがないとパンクしちまうぞ」

「ああ、そうだな」

「いろんなもん背負ってるからな、どっかで羽目を外さないと」

「ああ、まったくだ」

若い浮気相手ができた余裕からなのか、北原は説教じみた口調で話した。春彦は黙って聞いているしかなかった。

店には閉店間際までいた。外に出ると北原が「じゃあここで」と手を振った。

「これからリエちゃんと待ち合わせ。慰めてもらうんだよ」

「この野郎。ぎっくり腰にでもなれ」

軽く笑い、蹴飛《けと》ばすゼスチャーをして見送った。靴音を響かせ、北原が去っていく。

一人になるとまた知美のことを想った。

知美は自分のことをどう見ているのだろう。少なくとも厭な上司だとは思っていないはずだが。

もっとも好意を寄せるというほどではない気もする。ふつうに考えれば、自分など恋愛の対象外なのだ。

もしも知美と付き合うことになり、それを北原に告げたら、奴はどんな顔をするのだろう。地団駄を踏んで悔しがるのではないだろうか。

いや、甘い夢をもつのはやめよう。上司と部下なのだ。気まずくなるようなことはできるだけ避けたい。

一人かぶりを振る。酔いを醒まそうと少し歩くことにした。

定期異動から半月が経ち、そろそろ新しい環境に慣れたころになっても、知美の印象が変わることはなかった。

いつも穏やかに仕事をしている。とがった声を発することも、不服そうな顔をすることもなかった。

だから春彦の夢想がやむことはない。むしろ膨《ふく》らんだと言ってもよかった。

とくに一人になれる通勤途中などは勝手な知美との物語を作り、楽しんでいた。二人で出張に行くことになり、ホテルで打ち解けた雰囲気になる。酒が入り、酔った知美は色っぽい目をして春彦にしなだれかかる……。

四十男のくせに、頭の中はほとんどハーレクイン・ロマンスの世界だった。情事までの具体的想像は遠慮した。そこまでやると、朝、知美の顔を見られないと思ったからだ。

たまに我にかえり、自分を叱咤《しった》することもあった。やはりこれは馬鹿げた夢想であり、早くやめるべきだと。

ただし同時に言い訳もしてみた。いったい夢想もしないで生きている人間などいるのだろうか。現実しかないとなれば、人生はつらいばかりだ。

春彦の机からは知美の横顔が見える。いつの間にか、それがいちばん好きな角度の顔になった。

一方の春彦は、右四十五度から見る自分の顔を気に入っている。少し斜《はす》になった姿勢でパソコンのキーを叩くのはそのためだ。本当に恋をした人間は滑稽だ。

「荻野さん」パソコンに向かっていると、山口から声がかかった。「今度の日曜、イースト産業の展示即売会があってぼくが担当なんですが、倉田さんに応援頼んでもいいですか」

言われて知美を見る。すでに話はついているらしく、知美も春彦の返事を待っていた。

「人手が足りないのか」

「はい。ブースをひとつ任されまして」

「学生バイトでも雇えばいいだろう」つい声が不機嫌になった。

「いや、やはり接客ですから」

「おまえね、むやみに人の休日を奪うんじゃないよ。倉田君だっていい迷惑だろう」

「わたしなら平気です」知美が横から明るく言った。「いろいろ経験してみたいですし」

「癖になるよ、山口は、親にも甘えるタイプだから」

「いいんです。別に予定もないし」

不承不承、認めることにした。

春彦の胸の中でまたさざ波が立つ。今度の日曜、知美は山口と二人で過ごすことになる。山口は知美を口説きにかかったりはしないだろうか。しばらくはそのことで気を揉むことになるのだ。

それはそうと知美は今、日曜の予定がないと言っていた。デートをする相手はいないのか。ならば現在は恋人がいないということになるのだが……。

少し気がはやる。うれしくもあった。

でも、そういうことは自分だけが知っていたかった。山口の前で言ったら、山口までがチャンスありと思ってしまうではないか。

春彦はキーを打つ手を休め、ぼんやりとディスプレイ画面を眺めている。ただし目には何も映っていなかった。

自分も行くことにしようか。イースト産業にはここのところご無沙汰だから、課長たる自分が挨拶ついでに……。

いいや、そんなことをしたら山口が訝《いぶか》るだろう。へたをすると知美への想いを見破られてしまうかもしれない。

何かの影が照明を遮《さえぎ》った。「荻野さん」顔をあげると真里が立っていた。

「どうかしたんですか。何度も呼んでるのに」

「ああ、悪い悪い。何だ」

「印鑑お願いします」

差しだされた書類に判を押した。真里は髪をふわりと浮かせ、席に戻っていった。

真里を一緒に行かせるというのはどうだろう。うしろ姿を眺めながら思う。それなら知美の話相手は真里ということになる。

だめか。真里がふくれるに決まっている。

やはり一人で気を揉むしかないのだ。

まるで達磨《だるま》だな。手も足も出ない。

春彦は周囲に気づかれないようそっとため息をついた。

危惧《きぐ》したとおり、次の日曜は朝から落ち着かないものとなった。

本を広げても活字が頭に入らず、テレビを見てもうわの空だった。

そして何度も壁の時計に目がいく。正午を少し回っていた。展示会は午前十一時から午後五時までだ。今頃、知美は接客中なのだ。

今日はどんな服装なのだろう。得意先の前とはいえスーツを着る必要はない。軽い作業だってあるわけだし。

となるとカジュアルな装いだ。ジーンズでもはいているのだろうか。自分がまだ見たことのない知美の姿を、山口が見ることになる。

焦るような気持ちが喉元まで込みあげてきた。

「何か約束でもあるの」紅茶を運んできた典子が言った。

「ううん、何も」

「だってさっきから時計ばかり気にしてるじゃない」

「うん？」生返事する。

「何よ。出かける用事でもあるの」

「そうじゃなくて……」紅茶にレモンを落とした。「得意先の展示会があってな、うちからも応援が行ってるから、うまくやってるかなって思ってさ」

「誰が行ってるのよ」

「山口」知美の名は出さなかった。

「じゃあ大丈夫よ。山口君、しっかりしてるから」

「そうでもないさ。けっこうがさつなところがあるんだぜ、あいつは」

「ねえ、今度また部下の人たち、うちに呼ぼうよ」典子はクッキーをかじっている。

「この前、婦人会主催の料理教室でパエリアの作り方教わったの。わたし、それ作るから」

「みんな来たがらないよ、せっかくの休みの日に」

「いいじゃない。土日のうちのどっちか一日でしょう。独身組って何人いるの」

指折り数えた。「五人かな」

「その人たちだけでも呼んでよ。いい親睦会になるじゃない。あなた、あんまり部下を連れて飲み歩く人じゃないから、たまにはそれくらいのことしないと」

「うん……考えとく」気のない返事をした。

外は梅雨の中休みだった。子供たちは昼食をとるなりどこかへ出かけていった。もう親と遊びたがる歳でもない。だから休日はこうして夫婦水入らずになることが多い。典子が散歩をしたいと言いだしたので、堤防まで歩くことにした。

空は薄曇りだが、ときおり雲の切れ間から夏らしい光が差しこんでくる。風があったので汗ばむことはなかった。

「ねえ、葉子がさあ」典子が伸びをしながら言った。「学校の男の子からラブレターもらったよ」

「どこのどいつだ」

「知らないわよ、そんなことまで」呑気に笑っている。

河原に降り、水辺まで行った。典子が石を拾い、川に向かって投げはじめた。

春彦は少し離れた場所に腰をおろし、その姿を眺めている。

典子は同じ課の庶務だった。当初はただの同僚という意識しかなかったが、春彦が異動してから気になりだした。典子も同じなのか、廊下で擦《す》れちがうとはにかんだような笑みを見せていた。それから急接近した。互いに一目惚《ぼ》れではなく、徐々に好きになったのだ。

男と女はだんだん好きになるのがいいな。一目惚れだといいところだけ見せようとする。

腕時計に目をやった。今頃、知美は忙しく働いているのだろう。

女房がそばにいるというのに、やっぱり知美のことを考えている。

夕方になると、春彦はいっそう落ち着かなくなった。

午後六時。展示会の後片づけも終わり、そろそろ夕食どきだ。山口も知美も独身だから、ごく自然に「晩飯でもどう」という流れになるはずなのだ。

誘われれば知美もむげには断らないだろう。やさしい子だ。笑顔で応じるに決まっている。

食事ぐらいならいい。いや本当は食事だって一緒にされるのはいやなのだが、我慢してもいい。気になるのはそのあとだ。きっと山口は「軽くもう一軒」と誘う。二人きりで酒を飲まれるのがいやなのだ。

知美はちゃんと断れるだろうか。ずるずると付き合ったりしないだろうか。おまけに帰る方角が同じだ。

晩ご飯はすき焼きなのに箸《はし》が進まなかった。典子に悟られないよう会話には加わるのだが、心はよそへ行っている。

風呂に入ってもリラックスすることはできなかった。胸を軽く締めつけられるような感覚がずっと続いている。

よからぬ想像ばかりが浮かんできた。酔っていい雰囲気になってしまうとか。実は知美も山口に対して満更《まんざら》でもなかったとか。

そして一方では自分の馬鹿さ加減もたしなめていた。仮に二十八歳の山口と二十五歳の知美が結ばれたとしたら、一般的にはめでたいことなのだ。四十二歳の自分が出る幕などどこにもない。

いったい自分は知美をどうしたいのだろう。

お湯をすくって顔をこする。今回は重症だと春彦は思った。過去の夢想はこれほどしつこくはなかった。

知美には迷惑な話だろうな。自分でもわかっていた。中年男の勝手な聖女願望を押しつけられ、夢想の肴《さかな》にされて――。春彦は自虐的な気分になった。

知美は今頃酒でも飲んでいるのだろうか。あの柔らかそうな頬をピンクに染めて。ため息ばかりが口から漏れた。

山口に電話でもしてみようか。春彦はふとそう思った。牽制《けんせい》だけでもしておくか。遅くまで知美を付き合わせるなと。そうしないと今夜はうまく寝つけそうもない。

いや、けれどそれじゃあ嫉妬していることが見え見えだ。しばし思案する。そうだ、山口の携帯に電話をして「イースト産業の部長さんはそばにいるか」と聞けばいいかもしれない。ご無沙汰しているので挨拶をしたいと理由をつけて。少なくとも、それで山口と知美が今どこにいるかがわかる。

春彦は急いで浴室を出た。馬鹿げた行いだとわかっていても自分を止められなかった。

身体を冷ますのもそこそこに電話を手にする。山口のケータイにかけた。合成音のメッセージが流れる。電源を切っているようだった。

舌打ちする。こうなったら知美のケータイにかけよう。声も聞いてみたい。

知美はすぐに出た。「荻野だけど」と告げると少し間があり、「すいません」という知美の声が返ってきた。

「食事中だったものですから」知美が言った。

「あ、いや、こちらこそごめん。食事中だったんだ。山口のケータイにかけたらつながらなくてさ。君のそばにイースト産業の部長さん、いる？」

「あ、わたし、今自宅なんですけど」

「えっ、そうなの。自宅なの。山口は？」

「展示会のあと、先方さんと飲みに行ったみたいです」

「君は行かなかったわけ」

「わたし、汗をかいたものだから、早く帰ってシャワーを浴びたかったんです」

「なんだ。そうなの」春彦の心がみるみる晴れていった。「山口に寿司ぐらい奢《おご》らせればよかったのに」

「うふふ、そうですね」

飛びあがりたい気分になった。知美は一人でさっさと帰宅したのだ。

「今日はご苦労様でした。今度代休を取れるようにするから」

「あっ、うれしい。金曜か月曜にして三連休くださいね」

知美の屈託のない声に春彦の胸が温かくなった。

電話を切って本当に小躍りした。居間でテレビを見ていた典子と目が合い、慌てて取《と》り繕《つくろ》う。

「なんかうれしそうじゃない」

「ああ、得意先の展示会が無事成功したからな」

「山口君なの」

「いや、倉田っていう子だけどね」

「ふうん……」

典子の視線を浴びつつ春彦は台所へと歩いた。

馬鹿馬鹿しいと思わば思え。うれしいものは仕方がないのだ。

春彦はもう一人の理性ある自分に語りかけ、冷蔵庫から取りだしたビールの栓を抜いた。

3

一月もすると知美の評判は得意先にも広がった。春彦が担当者に会うと「今度入った子、いいね」とお褒《ほ》めの言葉をいただくのだ。キャリア・ウーマンっぽくない物腰の柔らかさが受けているのだろう。知美は二十五歳なのに落ち着いた雰囲気があり、それが安心感を与えているのかもしれなかった。

ただ、部下を褒められればうれしいものの、同時に警戒心も湧《わ》いた。この男は知美を狙《ねら》っているのではないかとどうしても邪推してしまい、心は千々に乱れるのだ。

春彦の恋煩《わずら》いは一向にやむ気配を見せない。一人になったとき、いつも想うのは知美のことだ。夢想の世界ではとうとう自分が最年少取締役に大抜擢され、知美を役員秘書として引きたてるストーリーまで出来あがってしまった。

そしてその都度我にかえり、馬鹿だなとため息をつくのだ。

春彦は、自分が知美に気があることを周囲に悟られないよう最大の注意を払っている。そんなことが知れたら社内の噂好きたちに何を言われることやら。

関心のないふりをした。知美を含む部下たちが飲みに行くときも、ついていきたいのをこらえ、「二万円未満なら経費で落としてやる」と余裕のポーズで見送っている。帰って風呂に浸かりながら一人悶々とするのだ。

その代わり、仕事は微妙に自分と絡むように割り振っている。この前は一緒に静岡まで日帰りで出張した。新幹線の車中、知美は蜜柑《みかん》をむいて春彦に手渡してくれた。天にも昇る気持ちだった。ただしそれ以外、知美はずっと文庫本を読んでいた。

知美は誰に対しても構えたところがない。そして誰に対しても一定の距離を保っている。この子はいったい誰が好きなのか。

ここのところ仕事は忙しい。夏休みに向けて、スケジュールが前倒しになっているからだ。

その夜も春彦は午後十時近くまで残業していた。知美と山口も残っていた。人影もまばらなオフィスに、パソコンのキーを叩く音が響いている。

知美がパソコンの電源を落とした。かすかに吐息をつき、首を左右に曲げている。

知美はそろそろ帰るのか。そんな気配を春彦は感じた。

すると山口も書類の束をトントンと机で揃《そろ》え、わざとらしく欠伸《あくび》をした。

知美が帰るタイミングに合わせ、自分も会社を出ようとしているのだとすぐにわかった。山口は知美と帰る方角が一緒だ。

「おい山口」

春彦が声をかける。言ってすぐ焦った。用はないのだ。

「あれ、どうなってたっけ」

懸命に考える。少し顔が熱くなった。

「あれって何ですか」と山口。

「あれだよ、あれ」目を閉じ、手を額《ひたい》にあてる。「ええと、名前が出てこない……」

「アルツハイマーですか」

この野郎。知美がくすくすと笑っていた。

「ああ、そうだ」やっと適当な案件を思いついた。「中央商事の例の見積もり。それから向こう一年の納入プランも」

「荻野さん、来週でいいって言ったじゃないですか」

「来週、おれは忙しいんだよ」

「そんな急に……」山口が口をとがらせる。

「それじゃあ、お先に失礼します」知美が立ちあがり、声を発した。

「おう、お疲れさん」軽く視線を向け、去っていくのを見届ける。

「これからですか？」うらめしそうに言った。

「手書きの概算だけでいいから見せてくれ。二十分ぐらいでできるだろう。それを持って明日の朝イチで部長に伺いをたてるから」

山口が露骨に顔をしかめた。渋々といった態度で再び机に向かう。

多少ばつが悪かったが、なんとか二人が連れだって帰るのを阻止でき、春彦は安堵した。ただし山口が知美に気があることをあらためて知り、暗い気持ちにもなった。

もしも二人が恋人同士になったら自分は冷静でいられるのだろうか。知らない男なら我慢はできる。それで自然と知美との夢想はやむことだろう。でも山口は身近すぎる。あつあつぶりを見せつけられたら、たぶん自分は嫉妬に狂う気がする。

そして数日後、それを感じる出来事があった。昼休みが終わったころ、知美が数本のゴルフクラブを抱えて戻ってきたのだ。知美のうしろにはニヤけた顔の山口がいる。

「それ、どうしたんですか」真里が聞いた。

「買ったの」知美がうれしそうに答える。「山口さんに選んでもらって」

「ゴルフ始めるんですか」

「うん。ちょっとやってみようかなって思って」

「大丈夫だって。倉田さんならうまくなるよ。まずは打ちっ放しで二、三回練習して、そしたらパターやサンドウェッジも揃えて、それでコースに出ようよ」

山口が頬を紅潮させしゃべっている。

悔しいので春彦は話に加わらなかった。なんだよ、ゴルフはやりたくないんじゃなかったのかよ。心の中で知美に八つあたりしていた。

もちろん山口にはもっと八つあたりした。その日たまたまミスを犯したので、部下全員がいる前できつく叱責したのだ。

青い顔でうなだれる山口を見てますます腹が立った。それはたぶん、夢想のようにはいかない現実に対しての腹立たしさだ。

怒りがおさまると自己嫌悪に襲われた。いっそのこと知美が転職でもしてくれたらどれほどらくだろうと思った。


梅雨明けの日曜の午後、営業三課の独身組が春彦の家に集まった。典子がどうしても料理を振る舞いたいと言いだし、春彦が渋々招集をかけたのだ。部下たちには「よかったらどうぞ」とソフトに声をかけた。それでも全員が集まるのだから、会社員とは付き合いのいい生き物なのだろう。

部下たちはワインを持参した。知美はそれとは別に花も携《たずさ》えていた。「荻野さんの奥様に」と知美が手渡す。それで初対面の二人はすっかり打ち解けた。

典子が作ったパエリアは好評で、本人も気をよくしていた。食後はワインを飲んで歓談した。典子と知美と真里は女同士で盛りあがっていた。

「ねえ荻野さん、昔はサーファーだったんですか」

知美に聞かれ、顔が赤くなった。三人でけたけたと笑っている。典子が亭主の昔話をしているらしい。

男はちょうど四人いたので麻雀になった。仕事を忘れ、きつい冗談を飛ばしあった。

「あの床柱、ぼくらから麻雀で吸いあげた金で立てたんでしょう」

春彦に振りこんだ山口が憎々しげに言う。遠慮がない部下たちを見て、こういう催しもたまには悪くないかと春彦は思った。

夕方、彼らは笑顔で帰っていった。後片づけは春彦も手伝った。

夜、床につくとき典子に労《ねぎら》いの言葉をかけた。

「どういたしまして」典子は隣の布団にもぐりこみ、大きく息をついて答えた。

枕元の電気スタンドが消されるかと思ったら、そのまま典子は天井を見ている。

「……倉田さんっていい子だね」ぽつりと言った。

「ああ」答えながら少しどきりとする。

「なるほど、課長さんは現在、部下の倉田さんにほの字なわけだ」

「何言ってるんだよ」

春彦が苦笑する。けれど唇が震えた。

「わかるわよ、それくらい」

　典子の、いかにも見透かしたような口調だった。

「冗談言うな」寝返りをうち、背中を向けた。

「あ、逃げた」

「どこにも逃げてないだろう」

「逃げてるよ。図星だから内心どきどきなんだ」

　春彦は咳払いをして、布団を首まで被《かぶ》る。本当に心臓が躍っていた。

「六月になってからだもんね。あなたの様子が急に変わったの」典子がかまわず話し続ける。「やけに服装に気を遣うようになったり、白髪を見つけては『おい抜いてくれ』って言うようになったり。わたしだって鈍感な女じゃないからね。わかるよ。ああ誰かの気を引こうとしてるな、それも毎日顔を合わせる人だなって」

「考え過ぎだよ」平然と言おうとしたが痰《たん》が喉にからんだ。

「でもまあ、仕方がないよね。好きになってしまったものは」

「ちがうって」嘘でもちゃんと否定しようと思い、典子の方に向き直った。「そんなわけないだろう。十七歳も歳がちがうのに。倉田君に対してはほとんど保護者の感覚だよ」

「そうかなあ」典子は天井を見たままだ。

「そうさ」

「ま、手出ししてないのだけはわかったけど」

「当たり前だろう」少し語気を強めて言った。

「もし不倫関係にあったら、相手の奥さんにあれだけ自然な態度はとれないもんね」

「おい、言葉を慎め。倉田君に失礼だろう」

「課長さんの片想いなんだ」

「いいかげんにしないと怒るぞ」

典子が黙る。しばらく沈黙が流れた。

「……倉田さんが、いい子でよかった」典子がため息まじりに口を開く。「わたし、ひやひやしてた。どんな子だろうって」

「だから考え過ぎだって」今度はなだめるように言った。

「別にいいんだよ、人を好きになるのは。わたしだってたまにあなた以外の男の人、好きになるもん」

「おい……」

「淳の去年の担任、すっごいハンサムで、わたし一年間ときめいてたもん。無理にP

ＴＡの用事作って学校へ行ったりしてたもん」

「ほんとかよ」

「わざわざ美容院で髪をセットして、少し胸の開いたブラウス着て――」

「やめてくれよ」

「男だけが外で恋をすると思ったら大間違いだからね」

典子はそれだけ言うと、電気スタンドを消した。部屋が闇に包まれる。

布団を被り、そっと胸に手をやった。まだ動悸が収まらない。春彦は典子の勘のよさに狼狽《ろうばい》していた。知美の話は家ではしないようにしてきた。聞かれても極力無関心を装って答えてきたのに。

「あの子に妙な気を起こさないように」ぽつりと典子が言う。

「ああ……」つい返事をしてしまった。暗闇で顔を歪《ゆが》める。

「ばーか」

典子の淋しげな声が天井に響いていた。

典子の牽制もあって、春彦の夢想は勢力を弱めるかにみえた。事実、通勤時には仕事のことも考えられるようになった。前はあり得なかったことだ。

けれどそれも長くは続かなかった。部下たちに夏期休暇の希望日を提出させたとき、また春彦の心が波立った。知美と山口の休暇が六日間も重なっていたのだ。

春彦の会社は一斉休暇ではなかった。各自が自由に連続九日間の休みをとっていいことになっている。知美はお盆の混雑を避けたいと言って八月一日から九日までを申請してきた。山口は八月四日から十二日だった。四日から九日までは二人が同時に休むのだ。

「どこか行くの」知美にさりげなく聞いた。

「仙台の実家に帰ってのんびりします」彼女はそう答えた。

山口に聞くと「とくに予定はないんですけどね。近場で遊んでますよ」という答えが返ってきた。

果たして二十五歳の女が九日間も実家でじっとしているものなのだろうか。ふつうは旅行にでも出かけるものだ。山口にしたってそうだ。自宅通勤で金はある。ハワイでもタヒチでもどこにでも行けるはずだ。

二人はこの六日間を一緒に過ごすのではないだろうか。まるまる同じ休みをとると周囲に怪しまれるので、少しずらしてカモフラージュしているのではないだろうか。

急にそんな疑念が頭に浮かび、胸が締めつけられた。

そういえば最近、知美はゴルフクラブをセットで買い揃えた。春彦の知らないところで、山口のレッスンを受けているのか。自分が知らないだけで、二人はすでに恋人同士なのではないか。

そう思うと知美のささいな仕草まで気になった。山口が机で伸びをする。知美がちらりと視線を向ける。何かの合図を受け取ったのではないか。春彦は仕事が手につかないのである。

そんなとき、たまたま課で真里と二人きりになった。暇そうにしていたのでお茶に誘った。世間話をしていてふと知美のことを聞いてみた。

「倉田君、もう三課には慣れたみたい？」

真里がうなずく。そこまでは上司として自然な問いかけだった。しかし次がいけなかった。「最近、山口とはずいぶん仲がいいみたいだね」つい探りを入れてしまった。

「そうですか？」真里が怪訝《けげん》そうに春彦を見る。

真里のその目にうろたえた。これは知美に伝わると思った。うちの課長、倉田さんと山口さんのこと怪しんでますよ、と。

「いや、別にどうでもいいことなんだけどね」言いながら頬がひきつる。体温が上がった気がした。「独身者同士、どうなろうと知ったことではないし」

いや、この言い草はまずい。もっと自然に無関心を装わなければ。

「デキてるんならそれもまた目出たい話で」

なのにもっとまずいことを言ってた。「デキてる」だと。なんて下種《げす》な言葉を遣ってしまったのか。額から汗が出た。人間、どうして疚《やま》しいと多言を弄《ろう》してしまうのだろう。

「デキてなんかないんじゃないですか」

真里が不機嫌そうに言った。軽蔑されたと思った。春彦はますます汗をかいていた。

なんとか話題を変えたが、会話は最後までぎこちないものだった。

会社に戻ってからはさらに憂鬱になった。真里とのやりとりを思いかえし、自分が嫉妬していることがみえみえだと気づいたからだ。

真里はけっこう勘がいい。一般職の女たちが、職場の男たちに対してどれほど鋭い観察眼をもっているか、春彦はいやというほど知っている。

激しく後悔していた。

真里に口止め料でも握らせようかと真剣に考えたほどだった。

4

真里にうろたえた姿を見せてからというもの、春彦は疑心暗鬼の日々を送っていた。廊下を歩いていて、給湯室からOLたちの笑い声が聞こえただけでドキリとする。自分のことを噂されているのではないかと身の縮む思いをするのだ。

真里は根はやさしい女だ。直属の上司を笑い物にするほど残酷ではない。けれど、一般職の仲間に話すのは自然なことのように思えた。だから真里が心配する口調で打ち明けたとしても、聞いたOLたちが眼を輝かせれば、すなわちそれは笑い話として広がる。とても楽観的ではいられないのだ。

知美はごくふつうにしている。春彦に接する態度に変化はない。噂は、往々にして当事者の耳には届かないものなので、春彦としてはそれにすがるしかない状況だ。

真里は、知美と山口の関係について否定した。希望がもてるニュースといえばそれくらいだ。

ただし念のため、山口の休暇に横槍《よこやり》を入れた。知美と重なる六日間の真ん中あたりの日に、用事をつくって出社を命じたのだ。

「途中で一日出てこいなんて、それじゃあ休んだ気になれないでしょう」

山口は顔をしかめ抵抗した。

「別に旅行に行くわけじゃないんだろう。それくらいのことで文句を言うな」

疚しいからつい高圧的な態度に出てしまい、険悪な空気になった。

そして、抵抗するということはやはり何かあるのではないかと、またしても疑念が頭をもたげ、春彦は焦りを覚えるのだった。

自分はむちゃくちゃな上司だ。自覚していた。だがどうすることもできなかった。

知美はますますきれいになった。いや、たった数週間で変わるわけなどなく、それは春彦の思い込みだ。だが、仕事中その横顔を盗み見て息苦しくなることさえあった。髪を掻《か》きあげる仕草ひとつで、胸が痛くなるのだ。

こんな苦しみを味わうくらいなら、いっそ告白してみようと思うことすらある。すいません、好きになりました、と。

けれどその先のこととなると、いったい自分でもどうしたいのかわからない。

愛人にしたいのか。知美の肌に触れたいのは事実だが、そんな性的な欲求ではない気がする。

ならばプラトニックな恋愛を求めているのか。馬鹿げている。二人でお茶を飲んで、おしゃべりをして、そんなことで満たされるわけもない。

結婚離婚を繰りかえすハリウッド・スターなら、きっとこういうときは一直線にくどくのだろう。妻や子がいることなど忘れてしまって……。そして思いを遂げ、満面の笑みを浮かべるのだ。

つくづく自分は色事に向かないなと春彦は思う。「新宿の母」にでも相談したい心境だ。みんなどうしているのだろう。

その夜は知美の担当する取引先のパーティーがあった。春彦にも招待状は届いていて、当初は出席すべきかどうか迷っていた。もしもあの噂が流れていて、知美の耳に入っていたとしたら、のこのこついていく自分がいたたまれなかったからだ。

知美が誘ってくれたら行こうと思っていた。すると知美は「どうします？」と伺いをたててきた。

「おれも行った方がいいのかな」

春彦は行きたくて仕方がないのに平静を装った。

「できれば」知美はにっこり笑って言った。「先方の部長さんに挨拶をしていただけると助かります」

「うん、じゃあ行くよ」

顔がほころぶのを堪《こら》えられなかった。やはり知美は自分が気を寄せていることなど知らないのだ。

知美はノースリーブのワンピースを着ていた。昼間の仕事中は夏物のカーディガンを羽織っていたが、夜になってそれを脱いだのだ。

メイクも変えたようだ。口紅がやや濃くなっている。胸には小さなダイヤのネックレスが輝いていた。

パーティー会場で、知美は物怖《ものお》じすることなく取引先と談笑していた。二十五歳とは思えない落ち着きぶりだ。

一人の中年男が知美のネックレスに目をつけ、「これ彼氏に買ってもらったの」と下卑《げび》た笑みを浮かべて言った。

「いいえ、ボーナスで買いました」

知美が顔色ひとつ変えずに答える。若い娘をからかったつもりの中年男はきまりが悪そうだった。

春彦は知美のこういうところが好きだ。男に媚びず、見栄をはらず、へりくだることも見下すこともしない。いつも自分のペースで生きている。

もっとも、それゆえ考えていることがわからない。いつも事務的と献身的のほどよい中間だ。隙を与えてくれない。

春彦のケータイが鳴った。出ると山口だった。

「アオイ商事の例の企画書、荻野さんのチェックを受けたいんですが。すいません、パーティーがひけたら社に戻っていただけませんか」

「おまえに任せるって言っただろう。プレゼンも含めて」

「でも、予算が大きいので念には念を入れたいんですよね」

あまり申し訳なさそうな声ではなかった。むしろ不機嫌そうだ。

「わかった。じゃあ明日の朝イチで見てやる。遅刻するな」

「今夜、何とかなりませんかねえ」

「今夜は勘弁してくれ」

電話をきる。ポケットにしまいながら、ふと、山口は、春彦がこのあと知美を誘えないよう邪魔しているのではないかと思った。

ありうる。いや絶対にそうだ。山口は嫉妬している。

春彦はケータイの電源をきった。またかけてきたとき少し焦《じ》らせてやろうと思った。

そしてパーティーが終わりかけたころ、知美をホテル最上階のバーへと誘った。

「上でちょっと飲みなおそうか。立ちっ放しで疲れちゃったし」

「ええ、いいですよ」知美はあっさり承諾した。

バーに入るなり知美は感嘆の声をあげた。「うわあ、きれい」

大きな窓から東京の夜景が一望できた。目の前にライトアップされた東京タワーがそびえ立ち、その向こうにはレインボー・ブリッジが光り輝いていたのだ。

知美の娘らしい反応を見たら、久しぶりに大人の余裕が出てきた。

「こういうところは彼氏と来るといいんだろうけど」

「いませんよ、そんな人」

真《ま》に受けていいのかわからないが、春彦の心は弾んだ。

窓際のテーブルに座り、飲み物を注文する。知美が酒の種類を知らないと言うので、飲みやすいベリーニを選んでやった。春彦は水割りを頼んだ。

少しカクテルの知識をひけらかした。知美がしきりに感心している。そうだ、知美はまだ二十五なのだ。臆することなど何もない。春彦は急に自信が湧いてきた。

「この前の奥さんのパエリア、とってもおいしかったですよ」知美が言った。

「あれは成功例。こっちはその前におじやみたいなの食べさせられてんだから」

知美がけらけらと笑う。

「去年は手巻き寿司パーティーをやったんだけど、事前にチーズ巻きとかトマト巻きとか試食させられてさ。こっちも大変なんだぜ」

知美は手をたたいてよろこんでいた。春彦の気持ちが膨らむ。ノースリーブの服から伸びた知美の腕がいかにも柔らかそうに見えた。

「でも素敵な奥さんですよね」

「うん？　いいよ。女房の話は」

「どうしてですか」

「若くてきれいな女の子を前にして所帯じみた話はしたくないじゃない」

「あ、奥さんにいいつけますよ」

「どうぞ」

軽く顎《あご》を突きだす。気障《きざ》な台詞《せりふ》なのに自然に言えた。

春彦は上機嫌になり水割りをおかわりした。知美には別のカクテルを選んでやった。知美の頬がほんのりピンクに染まりはじめた。

しばらくとりとめもない話をしていると知美のケータイが鳴った。バッグから取りだし、誰かと話している。

「ええ……ええ……すぐ目の前にいらっしゃいますよ」

誰だろう。春彦が訝る。いやな予感がした。

「山口さんです。何か急用らしくて」

黙ってケータイを受け取る。「何だ」ぞんざいな口調になっていた。

「あ、荻野さんですか。何度かけても通じないんで、もしかして倉田さんと一緒じゃないかなって思いまして。それで彼女にかけたんですよ」

そうか。山口はかつて自分がしたのと同じことをしているのか。

「例の企画書、修正とかあるといけないんで、やっぱり今夜中にチェックしてもらえませんかねえ。来られないっていうのなら、ぼくの方からどこにでも行きますよ」

「明日にしろよ、明日に」

「仕事は明日延ばしにするなって、荻野さん、いつも言ってるじゃないですか」

「もう酒が入ってるんだよ、こっちは」

「じゃあコーヒーでも飲んで酔いを醒ましてください」

山口の喧嘩を売るような物言いにかちんときた。

「だめだ。明日といったら明日だ」

「荻野さん、今どこにいるんですか」

「夜景のきれいな所だよ」

最後は思わせぶりに言い、一方的に電話をきった。ついでに電源もきる。「こういうバーは携帯電話禁止だろうから」そう言って知美に返した。

「どうしたんですか」

「山口が甘えたこと言ってんだよ。まったくいつまでたっても半人前なんだから」

知美が困ったような笑みを浮かべている。春彦は水割りをやめロックのダブルにした。

「山口はどう。いい先輩なの」

「ええ。とっても親切ですよ」

「ゴルフとか、一緒にやってるわけ」

「会社帰りに二度ほど打ちっ放しに連れてってもらいましたけど」

「あいつ、仕事もしないでゴルフばっかやってんだよな」

「ふふっ。どうしたんですか、山口さんと喧嘩でもしたんですか」

「しないよ。喧嘩になるわけないだろう。一回り以上歳がちがうのに」

グラスのウイスキーを飲み干した。おかわりをする。

「荻野さん、大丈夫ですか。飲み過ぎると明日の朝が大変ですよ」

「やさしいよね、知美ちゃんは」少し頭が痺れてきた。

「あ、完全に酔ってる。早く帰った方がいいんじゃないですか」

「帰りたくない」子供が駄々をこねるように言い、ため息をついて見せた。

「そんな」

「中間管理職はいろいろつらいんだぜ」

「うふふ」

会話が途切れた。沈黙が流れる。知美は髪を掻きあげると身体を捻《ひね》り、窓の外の夜景に目をやった。その瞳にネオンが映りこんでいる。

きれいだと思った。せつなくなった。

好きだと言ったらどうなるのだろう。自分の想いを打ち明けたらどうなるのだろう。

きっと知美は困惑するはずだ。それとも酒のせいにしてはぐらかすのだろうか。

「あ、そうだ」知美が口を開いた。「今度、真里ちゃんもゴルフを始めるんですよ」

「ふうん」と生返事をする。

「ボーナスでクラブを買うんですって。そうしたら三課のみんなで――」

耳に入ってこなかった。知美の指を見ていた。触れてみたかった。知美のすべてを一人占めしたかった。

言ってみようか。好きだと。

これまで思いきったことは何ひとつしてこなかった。周囲がそうするように大学を出て、会社に就職した。結婚して家を建てた。口では自分を一匹狼《おおかみ》タイプだと言っていたが、そんなものは嘘だ。結果を恐れ、欲望を抑えてばかりいたのだ。これを言うと、あとが気まずくなるとか、人間関係が壊れるとか。

春彦の胸のあたりで何かがもぞっと動いた。なんだかわからないそれが、熱をはらんで喉元まで込みあげてくる。

ぶち壊してみたい。痺れた頭で思った。どうせ人に語られるような人生ではないのだ。大事に生きてどうなるというのか。

ふられたっていい。たぶん、そうなるのだろう。それより、このままずっと気持ちを殺し続けることがつらいのだ。

「おれな――」勝手に口が動いていた。

「はい？」知美が首をかしげる。

「おれな——」自分の声の気がしなかった。

「ええ」

「実はな——」

「いやあ探しましたよ」

横から大きな声がした。はっとして振りかえる。山口が立っていた。

「はい、企画書。大至急チェックお願いします」

そう言って封筒をテーブルにどんと置く。山口の目は血走っていた。部下ではない、一人の怒った男の顔だった。

「何だ。明日にしろって言っただろう」春彦も一瞬にして頭に血がのぼった。「おれの言うことが聞けないのか」

「倉田さん、遅いからもう帰っていいよ」山口はそれには答えないで知美を見た。

「大変だったでしょう。酔っぱらった上司の相手をするってのは」

芝居がかった笑みを浮かべる。知美はただならぬ気配を察し、顔を曇らせた。

「さ、さ、早く帰って。おれちょっと荻野さんと話があるから」

「おれは話なんかないぞ」

「こっちがあるんですよ」

山口が知美を無理矢理立たせた。知美の背中を押して出口へと歩く。

知美は言葉が見つからない様子だ。不安そうに何度も振りかえり、それでも自分は口を挟まない方がいいと判断したのか、そのまま帰っていった。

山口が戻ってくる。テーブルに腰かけ、「荻野さん、部下の女の子に妙な気を起こしちゃいけませんよ」とやくざのように凄《すご》んだ。

「おまえに関係あるか」負けずに春彦も低く唸《うな》った。

「荻野さん、倉田さんに惚れてるんですか」

「ああ、惚れてるね。それがどうした」

「おろ。開き直りますねえ。荻野さんいくつですか。歳を考えてくださいよ」

「歳なんて関係ねえだろう」

「あのねえ、そういう台詞は若者の側が年寄りを思いやって言うことでしょう。自分で言ってどうするんですか」

「うるさい」思わず声を荒らげた。

「みっともない真似《まね》しないでくださいよ。人の恋路の邪魔ばっかして」

「おまえも倉田君が好きなのか」

「好きですよ。いけませんか」

「倉田君はどうなんだ」

「言いたかありませんね」

「ふん。脈なしか」鼻で笑ってやった。

「そっちはどうなんですか」山口が色をなす。「倉田さんが妻子持ちの四十男なんか好きになるわけがないでしょう」

「わからんぞ、女の気持ちは。おお、そうだ、今度二人で海外出張することになってな。アメリカへ二週間だ。安心しろ、ちゃんと土産《みやげ》は買ってきてやるから」

口からでまかせだが、山口を悔しがらせるためなら何でも言えた。

「ふざけるな。このエロ親父が」山口が顔を真っ赤にする。

「なんだと、もう一回言ってみろ」

「あのう――」その声に春彦が見上げる。ボーイが立っていた。「申し訳ありません。もう少しお声を低くしていただけませんでしょうか」恐縮して言っていた。

「表へ出ろ」と山口。

「この野郎。上司に向かってなんて口の利《き》き方をしやがる」

春彦もやる気だった。全身から怒りの感情が溢《あふ》れでてきて、誰か人でも殴らないと収まらない状態だったのだ。

だからエレベーターを降り、ロビーを小走りに突っきり、表に出たときはもう山口と取っ組み合いの喧嘩を始めていた。

二度三度とパンチを繰りだした。山口も殴りかえす。ただ至近距離なので互いにうまく当たらず、もつれあったまま二人は地面を転がることになった。

「お客さん、やめてください」ドアボーイが駆け寄ってきた。

「うるせえ。邪魔するな」春彦が大声をあげる。

何人かが割って入った。山口から引き離される。

「この野郎、この野郎」春彦はうわ言のようにわめき続けた。

山口は従業員たちに羽交《はが》い締《じ》めにされ、荒い息を吐いている。

無言で睨《にら》み合った。心臓の鼓動が耳の奥で鳴っていた。

「うわーっ！」

突然、山口が喉を嗄《か》らし叫ぶ。その声がエントランスの屋根にこだまして、しばらく周囲の空気を震わせていた。

翌朝、目の縁を黒くした二人を見て、知美は顔色を変えた。

「どうしたんですか」口を大きく開け、両手で頬を包んでいた。

「あのあと六本木で飲んでな。チンピラにからまれたんだよ」春彦が何食わぬ顔で言う。

「果敢に戦ったんだぜ、二人で」シャドー・ボクシングの真似をして見せた。

「荻野さん、正直に言った方がいいんじゃないですか」すると山口が言った。「この人がおやじ狩りに遭《あ》ってね、ボコボコにされかかったのをおれが助けてやったの」冗談めかして顔をしかめている。

知美は、男の世界のことと諦《あきら》めたのか詳しく聞こうとはしなかった。しばらく二人を見比べ、小さくため息をつくと黙ってパソコンに向かった。キーをたたくコトコトという音が静かに響いた。

昨夜、山口との関係はこれで終わりかと思ったが、朝になってみればそうでもなかった。出社して顔を見合わせると、どちらからともなく吹きだしたのだ。

「何だその面《つら》は」春彦が言うと、山口は「そっちこそ。家に鏡はないんですか」と言いかえした。それでなんとなく了解し合った気になった。

妙な爽快感があるのも事実だった。暴れて、わめき散らして、何かを吐きだした気分だった。たぶんそれは、溜まりに溜まった、互いの叶《かな》わぬ想いだったのだろう。

ゆうべは床の中で考えた。自分が知美相手に夢想していたのと同じように、山口もまた夢想を抱いていたのだ。突然三課に現れたマドンナに、その瞬間から心を奪われていたのだ。

知美がほかの男と親しげに言葉を交わしたといっては嫉妬し、なかなか隙を見せないことに焦れ、そうやって不安定な日々をすごしてきたのだ。

春彦がこれからどうしたいのかはわからない。知美を好きなことに変わりはなく、山口に譲ろうという広い心もない。昨夜のように二人きりになれば、また告白したいという衝動に駆られることだろう。

なるようにしかならない。知美の気持ちがどうにもならないように。春彦はなかば開き直っている。

定例の会議を済ませ、部下のスケジュールをチェックし、いつもの仕事を片づけていった。忙しければいいと思った。仕事に追われればいろんなことが忘れられるだろう。自分は管理職だ。仕事をおろそかにはできない。

知美の報告書に不備がみつかった。単純なミスだ。一回ぐらい叱ってやるかな。しょげる顔も見てみたいし。そう思い顔をあげたときだった。

「よおっ、倉田。元気か」三課に男が現れた。

「佐藤さん」知美の弾ける声が同時に響いた。「どうしたんですか。いつロンドンから帰ってきたんですか」知美は立ちあがっていた。

「ゆうべ。まだ時差ボケがひどくってさ」

男が白い歯を見せる。この長身で浅黒い顔の男には見覚えがあった。海外事業部の幹部候補と目されている若手社員だ。

「いつまで日本にいられるんですか」

「お盆過ぎまでいるよ。どうせヨーロッパ市場はバカンス・シーズンだから」

「じゃあゆっくりしてられるんですね」

「おう。倉田とも遊んでやるぞ」

「わあい」知美が手をたたいてはしゃいでいる。

春彦はあっけにとられて見ていた。ああ、そうなのか。乾いた気持ちで思った。この子は、好きな男の前ではこういう顔をするのか。

「あ、そうだ。わたしゴルフ始めたんですよ。まだ打ちっ放ししか行ったことないですけど」

「へー、そうか。じゃあ今度の休み、コースに出てみるか」

「連れてってくれるんですか」知美の声がいっそう華やぐ。

「いいぞ。おれがシゴいてやる」

「えー。へたでも怒ったりしないでくださいね」

ふと山口を見た。血の気の失せた顔で書類に向かっていた。

「どう？　これからお茶でも飲まない」男が言った。

知美が春彦の方に振りかえる。頬が紅潮していた。

「おう、行っていいぞォ」春彦は明るく答えることができた。たぶん、これが年の功というやつなのだろう。「積もる話もあるでしょう。一時間でも二時間でもどうぞォ。ただし領収書をどさくさ紛れに出したりするなよ」

二人が揃って笑う。「じゃあ、倉田君をちょっとお借りします」軽く会釈をすると、男は大股で去っていった。知美がスキップするようについていく。

小さく吐息を漏らし、前を向くと真里と目が合った。

真里はさっと視線をそらし、机に向かった。

山口を見ることはできなかった。

不思議な空白を味わっていた。パソコンの画面を見つめているのに、何も目に入ってこなかった。考えも浮かんでこない。

ただ、これでやっかいな夢想からは解放されるなと春彦は思った。

明日からは、心に波風が立たない、普通の生活に戻るのだ。

夜になって山口を飲みに誘った。山口はいやがったが強引に連れだした。ろくな会話もなく、黙々と二人で飲んだ。ボトルが空になると追加して飲んだ。

「巨人、今年は調子いいな」

「あれだけ戦力揃えりゃあ、荻野さんが監督しても勝てますよ」

「ああ、そうだな……」

ポツリポツリとそんな会話をした。

午前一時過ぎまで飲んだ。別れしな、無言で山口の肩をたたいた。山口は赤い目でうなずくと、タクシーで帰っていった。

春彦はしばらく夜風に吹かれた。タクシーが前を通っても手をあげる気になれなかった。

ケータイを取りだし、自宅に電話を入れた。

「どうしたのよ、こんな時間に」典子がくぐもった声をだす。

「おまえの声が聞きたくってさ」

「何言ってるのよ」

「いいじゃないか、夫婦なんだから」

「あ、わかった。さては倉田さんにふられたな」

なんてうちの妻は勘がいいのだ。探偵にでもしたいくらいだ。

「慰めてもらおうったってそうはいかないからね」

「そんなこと言ってないだろう」

「ま、バッグと靴と指輪を買ってくれたら考えてやってもいいけどね」

「おう、買ってやるぞ」

「じゃあ早く帰ってらっしゃい」

電話をきられた。

ため息をつく。手をあげるとタクシーがハザードランプを点滅させて近づいてきた。

乗り込み、行き先を告げる。

シートに背中を押しつけたら、欠伸が出た。

目を閉じる。知美の顔が浮かんだ。でもそれはすぐに霧散し、粒子となって消えていった。

1

大学へは行かない。ダンサーになる——。

息子の俊輔《しゅんすけ》がそう言いだしたのは、朝夕がめっきり涼しくなった九月も末のことだった。

もっとも田中芳雄《よしお》は、高二になる、自分より五センチ背の高い息子から直接聞いたわけではない。妻の千里《ちさと》が、寝室でぽつりと漏《も》らしたのだ。

「俊輔、高校を出たら、渋谷にあるダンススクールへ通いたいんだって」

どこかひとごとめいた口調だった。

息子がダンスに熱中しているらしいことは、千里や娘の有加《ゆか》から聞かされていた。日曜日、市民会館前の広場で友人たちと踊っているのを目撃したこともある。黒人がよくやる、地面でクルクル回る踊りだった。

くだらないことを、と思って芳雄は見ていた。

若者のすることが気に食わないのではない。四十六歳の芳雄は充分若い感覚のつもりでいる。自分の美意識に照らし合わせて、容易には受け入れがたかった。ダンス――それも日本人の踊るブレイクダンスなど、ナンセンスな猿真似でしかない。

千里には特別な返事をしなかった。十代の考えることは日替わりだ。中三の有加など、将来の志望が犬のトリマーから国境なき医師団に替わったばかりだ。

「三年になると進路別のクラス編成があって、進学しない子は私立文科系にまわされるんだって」

千里が口をすぼめてみせる。

「国立に入ってくれると、親としては助かるんだけどな」

あまり嚙み合わない会話をした。

布団にもぐりこみ、天井を見る。真上が俊輔の部屋だ。

もう何年も二階へ上がっていない気がした。いいや、そんなはずはない。ベランダの雪降ろしをしたのが今年に入ってからで……半年以上、上がってないか。

自分が建てた家だというのに、居間と寝室以外はどうも自分のテリトリーと思えない。妻や子供たちが勝手に巣作りした感じだ。

「ゆくゆくはニューヨークへ修業に行きたいんだって」と千里。

「おれはロンドンへ行きたかったよ。ジミー・ペイジに弟子入りに」

あくび混じりに返事をする。そういえば高校時代に買った偽レスポールはどこへいったんだっけ。捨てた記憶はないのだが……。考える間もなく眠りに落ちていた。


営業四課課長の芳雄は毎朝八時半に出社すると、自分でコーヒーをいれ、経済新聞に目を通す。始業三十分前に机につくのは飯島《いいじま》部長がそうするからだ。第一営業部の五人の課長のうち、四人までが同じことをしている。

がらんとしたオフィスに、四十過ぎのおじさんばかりが集っている。飯島は部下の忠誠度を量りたがるところがあるので、この輪から安易に抜けることはできない。

大手食品会社に入社して二十五年目。そろそろ最後の振り分けがなされる時期だ。ここで部長になれば局長まではいける。漏ればいずれ出向が待っている。

しゃかりきになって出世したいとは思わない。しかし同期に負けるのだけは避けたい感情がある。

「おい田中。ミナト物産に役員人事があったみたいだぞ」

新聞を手にした飯島から声がかかり、すかさず「読みました」と答えた。

「佐藤さん、いよいよ常務だな」

「厭味にならない程度の花でも贈っておきましょう」

自分の名が呼ばれたことに小さく満足する。

飯島が新聞記事をネタに自説を披露した。四人の課長が聞き入る。毎朝の日課だ。

女子社員たちが出揃ったころ、唯一定時に出社する五課の課長、浅野《あさの》がのっそり姿を現した。芳雄と同期だが、課長になったのは三年遅れのつい最近だ。

「ホーネまーでー、ホーネまーでー」

ボサボサの頭をかきながら、朝から演歌を口ずさんでいる。社内のどのラインにも乗っていない非主流派だ。

「田中よ。小笠原が絶好調だぞ」その浅野が言う。

「誰だ。それ」

「日本ハム・ファイターズの若きスラッガーよ」

趣味まで非主流だから、誰とも話が合わない。

浅野は、庶務の女子社員のいれてくれたお茶をすすり、スポーツ新聞を広げている。ふと見たら、芸能面に若くして母親になった人気歌手の記事が出ていた。その歌手の夫がバックダンサーだということを思いだす。芳雄が知っているダンサーといえば、ワイドショーを賑わせたその男だけだ。

浅野のそばまで行き、のぞき込んだ。どこかのスタジアムでコンサートを開いたらしい。ひょろっと細い、貧相な顔の亭主も隣に写っていた。

いちばん出世して、髪結いの亭主か——。

俊輔がダンサーになるなど、とんでもない話である。

「なんだ、田中。おれに相談事か」

浅野が顔を向ける。誰がおまえなんかに。でも話をふってみた。

「おまえの息子、確か大学三年生だったな」浅野は早婚で、子供もすでに成人していた。

「そろそろ就職の準備はしてるのか」

「知らん。勝手に決めるだろう。東工大だからな、おれとは異人種よ」

「理系の秀才か。そりゃあ心配いらんわな」

「うちの子供がどうかしたのか」

「なんでもない。聞いてみただけだ」

机に戻ると、庶務の博子《ひろこ》が書類に判をもらいにきた。ついでにブレイクダンスについて聞いてみる。

「いまはヒップホップっていうんですよー」と博子は語尾を延ばして答えた。「わたしが高校の頃、校内にいくつかダンスチームがありましたけど」

自分たちが昔、ロックに夢中になりバンドを結成したようなものなのか。

「専門のスクールなんかもあるわけ？」

「そこらじゅうにありますよ。うちの会社でもジャズダンスなら通ってる人がいるんじゃないですか。同じスクールが、時間帯によってはヒップホップの教室になったりするわけですよ」

なるほど。ふた昔前、駅前にあった社交ダンス教室が、今はジャズダンスやヒップホップに衣替えしただけのことなのだ。

ますます馬鹿らしい。息子がつまらない人間のような気がした。父親の想像も及ばない夢があるのならまだいい。しょせんは底の浅い流行なのだ。

ため息をつき、パソコンに向かった。画面に映る数字をチェックし、特約店の販売状況を把握する。カレールウやパスタソースの補充を手配し、他部署との調整をする。たいして創造性はないが大半の仕事はそんなものだ。大手だから給料はいい。給料がいいから、単調な仕事も苦にならない。

昼食は飯島部長のお伴をした。珍しいことではない。年中ゴルフ焼けした飯島は、部下とのコミュニケーションが好きで、食事や酒に誘ったりする。

「君は、浅野と同期だったよな」

蕎麦屋《そばや》の座敷で向かい合うなり、そう切りだされた。ネクタイを緩め、短い首を亀のように伸ばしている。

「ええ、そうですけど」芳雄も倣い、ネクタイを緩めた。

「同じ課長として、彼の仕事ぶりはどうだ」

飯島を見た。真顔で顎《あご》を撫でていた。

芳雄は返答に詰まる。同期なのでめったなことは言いたくない。

「浅野が何かミスでもしましたか」

「いいや、してない」湯呑みを手にし、口をつけた。「とくに手柄もないがな」

「隣から眺めてるだけですけど、五課になにか問題があるようには思えませんが」

「問題はない。下からの不満の声があるわけでもない。でもな、雰囲気がちがうとは思わんか。五課だけ」

「そうですか？」

言葉を濁したものの、飯島の言わんとしていることはわかった。浅野は部下をほとんど管理しない。直行直帰を自由に認め、残業時間もほかの課より少ない。

「会社は家族だなんてことはいまどき言いださないがな。ほかの課から見ると、異質であることは確かだ。この前の部内コンペ、五課からは一人も参加しなかった。浅野が『出なくていい』って言ったそうだ」

浅野らしいと思った。入社一年目にいきなり社員旅行をパスした男なのだ。

注文の品が届いたので二人で食べた。ズルズルと蕎麦をすする音だけが響いている。

「この前、浅野にそれとなく言ったんだ」飯島が食べる手を休めた。「少しはほかの課に合わせてくれないかって。そしたらな」箸《はし》で芳雄を差した。「必要とあらば、わたくしも毎朝午前八時半に馳せ参じますがって、皮肉を言われちまったよ」

芳雄は苦笑した。とぼけっぷりが目に浮かぶ。

「言ってくれるじゃないか、あの男も」

「はあ」曖昧《あいまい》に相槌をうった。

「人事に聞いたら、前の部署でも同じような態度だったらしい。結局、人間ってえのは変わらんのだろうな」

「若い連中には面白がられてますが」少しは弁護しておこうと思った。

「女子社員ばかりだろう。競争しなくていい連中だ。若手が浅野の部下になって、へたに染まるとあとあと大変だぞ」

「まあ、そうですけど」

「万が一降格があっても、おまえ、おれを恨むなよ」

思わず顔をあげた。飯島が鼻をひとつすする。

「同期で仲もよさそうだし、一応言っておこうと思ってな」

「いや、別に仲がいいというわけでは……」

実際、プライベートな付き合いはいっさいない。はたから見ると気のおけない友人同士と思えるのかもしれないが、それは競争相手として見ていないからだ。

「それだけだ」飯島が蕎麦湯を猪口《ちょく》に注《つ》いでいる。

浅野は降格人事の対象になっているのか。すぐには感想が浮かんでこなかった。もっとも自分が深刻になるようなことではない。会社員なら誰もが慣れっこの、どこにでもある話だ。

夜十一時過ぎ、残業で疲れて帰宅すると、千里がまたしても俊輔の進路のことを話してきた。浮かない顔だった。

「俊輔が進路希望の書類に、本当にダンサーって書いて提出しちゃったんだって。それで担任の先生が一度親と面談したいって」

「おれにか？」

芳雄が眉をひそめる。台所へ行って缶ビールを取りだした。

「父母のどっちかってことだろうけど」

「じゃあおまえが行ってきてくれよ」

「どうやって説明すればいいのよ」

「息子の軽い冗談です。三年になったら国立文科系クラスに入れてやってくださいって」

「そんな、勝手な」千里がソファに深くもたれ、テーブルに足を載せた。「俊輔、真剣なんだから。今日も遅くまで練習してたし」

「じゃあなにか。うちの息子はダンサーにしますって学校に言うのか」

「そうは言わないけど」千里が不服そうに口をとがらせる。「俊輔の将来なんだから、俊輔が納得しないと意味ないでしょう」

「おまえはどう思ってるんだ。ダンサーなんて、そんなもの認めるのか」

「認めはしないけど、頭ごなしに否定もできないでしょう」

「まあ、なんて理解ある親御さんなんでしょう」缶ビールを飲みほし、手で握り潰した。

「ふざけないの。じゃあ、あなたが言いなさいよ、俊輔に」

「父親は最後の砦《とりで》。外交だってそうだろう。いきなり大臣が交渉にあたるか？　まずは事務方が根回しをして、下交渉をして、決まりかけたところで調印に乗りだすものなの」

「エラソーに」千里が露骨に顔をしかめる。

「俊輔に聞いておいてくれ。その一、その職業にはどのような将来性があるのか。その二、どの程度の収入が見込めるものなのか。その三、彼女の親に説明できる仕事なのか。おれの予想では、その三でふと冷静にかえるはずなんだけどな」

「また人に押しつけて」

「時間が経てば冷めるって。おれにも経験があったけど、高校生のころなんて、仲間の前で一度口にしたから引っこみがつかなくなったとか、そんな理由で物事を決めたりするものなのさ。学校には少し時間をくれとでも言っておけよ」

大きくあくびをした。千里が睨《にら》んでいる。

息子の学校の成績が中程度であることは千里から聞いていた。少し頑張れば国立も可能とのことだった。

まだ一年半あるのだから、国立を狙ってほしいと思った。授業料が年間数十万円はちがうだろうし、それはすなわち家計の助けになる。

国立へ入ったら車を買ってやるとでも言おうか。

その先、飽きるまでダンスとやらをすればいい。

いざとなったらニンジン作戦だ。

ビールを飲んだせいか、風呂へ入るのもだるくなった。

2

浅野は相変わらずマイペースだ。飯島に牽制《けんせい》されたにもかかわらず、自分の流儀を変えようとしない。

体育の日の社内運動会に早々に不参加を決めた。営業部全体の参加者数を合わせるために、ほかの課が余計に人を出さなければならなかった。

庶務の博子が指名され、怒っていた。ただし五課にではなく、直属の上司たる芳雄に対してだ。

「課長も不参加を表明すればいいんですよ。うちの課は希望者ゼロでしたって、総務に言ってくださいよ」

「言えるか、そんな恐ろしいこと」

「三連休がだいなしじゃないですか、まったくもう。運動会なんかみんないやがってるのに」

浅野が女子社員に人気があるのが少しわかった気がした。

その浅野と社員食堂で一緒になった。一人で焼魚定食をつついていた。避けるのも不自然なので声をかけ、真向かいに座る。

「おい、我が優秀なる息子だがな」浅野から口を開いた。「この前聞いたろう。おれの息子の志望について」

「そういえば聞いたな」

「大学院へ進んで物理学の研究を続けたいとよ。就職する気はなさそうだ」

「ふうん。企業でも引く手あまただろうに」

「研究者は一種の高等遊民だな。我が子ながら羨《うらや》ましいものよ」

「それに比べて、うちの愚息は低級遊民だ」芳雄が肩をすくめてみせる。「よりによって卒業後の志望がダンサーだからな」

口をついて出てしまった。会社の同僚に、家の話などめったにしないのに。

「ダンサーって、バレエか」

「それならいいさ。立派な芸術だし。うちの息子がやりたがってるのはヒップホップとかいう黒人の真似事だ」

「ああ、若い衆の間で流行《はや》ってるやつだな。うちの近所の公園でも、高校生がダブダブの服着て踊ってるよ」

「何を考えてることやら」目を伏せ、苦笑する。「そんなもので食えるわけがないのに」

「わからんぞ。そうやってチャレンジしたのが矢沢永吉や松田優作だからな」

「レアケースを持ちだすな。大半は食いっぱぐれるんだ」

芳雄は運ばれてきたタンメンをすすった。食べ終えた浅野はお茶を飲んでいる。

「反対したのか」と浅野。

「まだ直接話はしていない。どうやって気を変えさせるかだが」

「簡単に反対するな。向こうは反対されるのを承知の上で言ってんだ。芸のあるなしが問われるぞ」

「ひとごとだと思いやがって」けれど、一理あると思った。

「おれも経験がある。うちは親父が開業医だったが、継がなかったのは復讐みたいなもんだ」

「おまえん家《ち》、医者だったのか。初めて聞いたぞ」

「十代のころ、とにかく親父が嫌いでな。親父がいちばん落胆することは何かと考えて、それは長男が家を継がないことだろうって結論に達したわけよ」

「なんという早まった真似を」あらためて浅野を見た。「昔から偏屈だったんだな」

「自立心旺盛と言ってもらいたいな」

「当然、後悔してるんだろ」

「いいや、別に」涼しい顔で爪楊枝《つまようじ》をくわえている。

「どうして」

「産婦人科だったんだ。患者に惚れられたら困るだろう」

つまらない冗談に芳雄は顔をしかめた。

どうせこの男は、医者になったらなったで医師会と揉《も》めたりするのだ。

食堂を出ていく浅野のうしろ姿を見送った。一人で生きていけるタイプは気楽でいいな。そんなことを思う。

親への復讐か……。復讐は大袈裟《おおげさ》にしても、親への反発というのはあるのかもしれない。父親がうざったくて仕方がない年頃なのだ。頭ごなしに叱るなど、きっと息子の思う壺なのだろう。

自分も高校生のころはそうだった。親を困らせたくて、バイクの免許を取ると言いはったことがある。父親に一も二もなく撥《は》ねつけられ、型通りに憤慨してみせた。抑圧された若者としての自分に酔った。

まったく面倒な年頃だ。いっそのこと「お好きにどうぞ」と言ってやろうか。案外面食らい、おとなしくなるかもしれない。

いいや、言質《げんち》を与えるのはまずい気がする。これ幸いと、ダンスに明け暮れる可能性が高い。

かと言って簡単に否定すれば、封建的な父親と自由を求める息子という、あまりにありがちな図式ができあがってしまう。

だいたい俊輔が中学時代、尾崎豊なんかを聴きだしたころから、思いこみの強い少年になるのではと、いやな予感がしていたのだ。レッド・ツェッペリンでも聴いてくれたら話相手になってやったのに。

しばらく様子を見るしかないだろう。いまの俊輔は腫《は》れ物《もの》だ。へたに触らない方がいい。

　いつぞやの質問の回答は、千里経由で聞かされていた。

　その一の将来性は、大いにあり。その二の収入は、振り付け師になればサラリーマン以上。その三の彼女の親になんて説明するかは、とっくに別れた、であった。

　ちなみに、どういう将来性かと尋ねたら、人類の歴史から歌と踊りが消えたことはない、というやけに哲学的なものであった。精一杯考えたのだろう。

　千里が笑っていたのでたしなめたら喧嘩になった。女親はどこか呑気なところがある。

　数日後、部長の飯島から飲みに誘われた。

　ちょっと付き合え。ぞんざいな言い方を聞き、楽しい話ではないなと直感した。

　会社の近くではなく、銀座まで繰りだし、ホテルのバー・カウンターに並んで座った。

「浅野のことだがな」飯島が切りだす。「彼の行状を局長にそれとなく言ったら、叱責されてな」

　口をへの字に曲げ、手で首をかいていた。

「それはお気の毒に」芳雄は軽く笑ってかえした。

「局長がな、人事の言うことなど聞かなくていい、第一営業部はおまえがボスなんだから、おまえのやりやすいようにすればいい、何を遠慮してるんだって」

返答に詰まる。ただの愚痴ではなさそうだった。

「考えてみればそうだ。管理職っていうのは、文字どおりその部署を管理する立場だ。部下のしでかしたことには責任を取らなきゃならんし、部下に不利益が生じたときは先頭に立って戦わなければならん。多くの義務を抱えているわけだから、同等の権利があってしかるべきなんだ」

飯島がグラスの氷を指でつつく。カランカランと鈴のような音が響く。

「五課をほかの課に吸収合併させようと思っている。もともと第一営業部は四つの課で構成されてたんだ。五課は人事がポスト増の目的で作った課だ。余計なんだ」

「いいんですか。そんなことして」遠慮がちに口を開いた。

「いいんだ。局長のお墨つきだ。事業推進部の今井なんか、部長になるや、年上の煙たい連中を全部追っ払っちまった。社内で批判も出たけどそれでいいんだよ。業績についての責任はとる、だから好きにやらせろってことなんだ」

飯島が水割りをいっきに飲みほした。

「おまえの四課か、高橋の三課だ。どっちかに吸収させる。選べ。おまえがやるなら浅野は課長補佐で部下だ。いやなら高橋のところへ入れる」

予想外の展開に芳雄は戸惑った。以前「降格があるかもしれない」と聞いたときは、よそへ異動させるものと思っていたのだ。

「分散することも考えたが、振り分けが面倒だ。すでにチームで進んでいる仕事もあるし、取引先に迷惑をかけるわけにはいかん。おまえがまとめてくれれば、おれとしても助かるんだがな」

「そんな、急に言われても」

「おまえの負担が増えることはわかってる。でも、それなりの報いはするぞ」

当然、昇進のことを言っているのだろう。

「同期が部下というのはいやか」

もちろんいやに決まっている。

「やりやすくはないですね」けれどそんな言いまわしに留めておいた。

自分より、浅野の方がたまらないはずだ。三課の高橋は二期下である。同期の部下になるか、後輩の部下になるか、考えたくもない結果が待っているだけなのだ。

自分が断れば、浅野は後輩の部下になる。

承諾すれば、自分の部下になる。

こっちだって充分損な役まわりだ。

「それは決定ですか」飯島に聞いた。

「おれの中ではな。総務と事を構える覚悟はできている」

「しかし、穏便に済めばそれに越したことはないでしょう。なんならぼくから浅野に言い聞かせますよ。部内の和を乱すなって」

「いまさら言って聞く玉か。それに、おれにだってメンツはあるんだ」

おそらく飯島は社内の評判も計算に入れている。浅野を降格させれば、部内に権力を示すことができるし、総務に楯突けば、タカ派を印象づけることもできる。会社員は、社内でいかに名前を売るかが生きがいのようなところがある。

「もう少し様子を見たらどうですか。五課の業績が劣っているのならともかく、数字の上では問題ないわけですから」

「おまえ、言うだろ。浅野に」飯島が芳雄を見据えた。

「言いませんよ」即座にかぶりを振る。

「いや、言っていいんだ。寝耳に水よりは心の準備をしておいてもらった方がいい」

「だったら、もう一回チャンスを与えてやっても」

「どんなチャンスだ」

「運動会に参加するとか」

　言いながら情けなくなった。外資系なら一笑に付される話だろう。

「ほう」飯島が口の端を持ちあげた。「参加するだけじゃあな」

「リーダーとして参加させますよ」

「全員の前で応援の旗を振るか」

「振らせましょう」

「三三七拍子もやるか」

「やらせましょう」

　やるわけないよな、あいつは。酔いはじめた頭で思う。

「だったら猶予を与えてやってもいい」

　部長は鼻でふんと笑い、水割りのおかわりを頼んだ。

　要するに、この男は、部下のいる前で浅野を屈服させたいのだろう。

　大人気《おとなげ》ないよなあ、みんな。ついため息が出る。

　でも説得してみるか。浅野が自分の部下になるのはいやだし、三課の高橋に昇進の材料を与えるのはもっといやだ。

　浅野の馬鹿たれめ。芳雄も水割りをおかわりした。

いい具合に酔って帰宅すると、千里が寝室のベッドで何かのパンフレットを眺めていた。何げなくのぞく。ダンススクールの入学案内だった。

「おれにも見せろ」横から取りあげた。

「俊輔が行きたい学校だって。どういうところなのか教えてって言ったら、自分で取り寄せたのよ、あの子」

ベッドに腰をおろし、ページをめくった。スタジオなどの設備の写真が並び、レッスンの時間割表があった。「シャワー、サウナ完備」「完全予約制」の文字が目に飛びこむ。

「なんだこりゃ」思わずつぶやいていた。「学校っていうより、エステサロンみたいなものじゃないのか、これは」

「そんな感じ」千里も同意した。「わたしの予想とはちがった。芸大のくだけたようなものだと思ってたから」

「じゃあどういうことなんだ。『随時入学受付』って、そんないいかげんなものなのか」

「自分でプログラムを組んで、好きな時間にレッスンを受ければいいんだって」

「ひとつ聞いていいか」疑問が湧いてきた。「このダンススクールとやらに通うのはよしとしよう。でも、それと大学には行かないっていうのと、どういう関係があるんだ。これなら大学に行きながら、放課後に通えば済むことだろう」

「俊輔、そこで働くんだって」

眉間に皺《しわ》を寄せる。耳を疑った。

「インストラクターのアシスタントをしたり、床掃除をしたり、昼間はそうやって働いて、夜にスタジオが空いたら、好きなだけ自分の練習をするんだって」

「気は確かか、うちの息子は」

「自活したいんだって。親の脛《すね》をかじらないで、高校出たら一人暮らしをするんだって」

「おまえはなんて言ったんだ」

「もう少し考えてみたら、とは言ったけど」

「そんな悠長な」

「じゃあなんて言えばいいのよ」抗議の口調だった。

「我が家の長男の将来だぞ」

「だったら家長たるあなたが説得するべきでしょう」

「そりゃあ最終的には――」

いつかの浅野の言葉を思いだした。父親に対する復讐。浅野はそれで医者にならなかった。俊輔は自分に何か恨みをもっているのだろうか。

ありえない。親子の会話はほとんどないが、それは互いが面倒臭がっているだけで、衝突の末に生じた事態ではない。成長過程においては、父と子が距離を置くのは自然なことなのだ。

「とにかく、受験勉強だけは続けろと言え。気が変わったとき、いつでも対応できるように」

「うん。それから？」

「それからって、ひとごとみたいに言うなよ」

「あなたの指示を仰いでるんじゃないの」

「じゃあ」気が急《せ》いてきた。「いろんな人に相談しろと言え。ほら、小さいころ遊んでもらってた本屋のタケシ君、あの子、いま大学生だろう。学生生活について話してもらえ。時間は自由だから、いくらでも好きなことができるって」

自分は話さなくていいのだろうか。不安な気持ちが胸の中でふくらむ。

いや、まだ出馬しない方がいい。もし感情的にでもなったら、そこで決裂だ。意地

になら せたらだめなのだ。

「まさか彼女と別れてやけになったとか、そういうのじゃないよな」

「ちがうわよ。毎日いきいきしてるんだから」

「なんなんだよ、いったい」

「ダンスが好きで打ちこみたいってことじゃない」

「大学へ行きながらやればいいだろう」

「だから俊輔は自活したいんだって、さっき言ったじゃない」

「親の金で四年間遊べるんだぞ。それを蹴る馬鹿がどこにいる」

両手で髪をひっつめ、吐き捨てるように言った。

「大人になったのよ、あの子も」

「どうしてそんなに呑気でいられるんだ」

「大きな声、出さないの」千里が布団を被りなおし、枕に横顔を沈めた。「自立心旺盛っていうのは結構なことじゃない」

「浅野みたいなこと言うな」

「誰よ、浅野って」

「会社の同期でいるんだ、そういうのが。要は人とちがうことをしたいってだけの人間なんだ」

顔が浮かんだ。俊輔は浅野みたいな大人になるのだろうか。

「冗談じゃねえよ。柔軟性に欠ける連中っていうのは、まったく――」

「あなた酔ってるの」

「うるさい」

腕を広げて伸びをした。そのままベッドに倒れこむ。

「ちょっと、着替えなさいよ」

「うるさい、うるさい」

天井を見た。二階の息子をひっぱたきたくなった。

3

芳雄の片づけなければならない問題はふたつあった。

息子の俊輔を翻意させ、受験勉強に向かわせること。

同期の浅野を改心させ、部長の方針に従わせること。

なんだか同じ種類の人間を相手にしているような気がしてきた。

まずは浅野だ。早速飲みに誘おうとしたのだが、「晩飯は家で食うことにしている」と断られてしまった。

一人息子が大学の寮に入ったので、夫婦二人の生活を大事にしたいのだそうだ。

そんなもの老後にいくらでもやればいいだろう。喉まで出かかった言葉を堪《こら》え、三十分だけという約束で退社後、喫茶店で向かいあう。「ものは相談だがな」明るい調子で切りだした。

「体育の日の社内運動会、おれと一緒に応援団、やってくれないか。管理職が率先して盛りあげるってことで、おれが引き受けたんだけど、一人じゃ心細くてな。同期のよしみで付きあってほしいんだよな」

ゆうべ考えた言い訳だ。白い歯を見せ、腰も低くした。

「悪いが運動会は不参加だ」

なのに素っ気なくかえされる。

「知ってるよ。そこを頼んでるんじゃないか」

「三連休だからな。もう計画は立ててあるんだ」

「旅行か」

「それもあるが、体育の日は女房のボランティアに付きあって、車椅子の人たちとハイキングだ」

ボランティアと聞き、一瞬ひるむ。なんだか自分が卑《いや》しい人間に思えた。こっちの休日は接待ゴルフかごろ寝だ。でも簡単には引きさがれない。

「ボランティアもいいが、たまには会社の行事に付きあえよ。替わってもらうなりして」

「やだよ。社内運動会なんて、垢抜《あかぬ》けない」

「まあ、確かにそうだが」

「自由参加じゃないか。だったら好きにさせろよ」

浅野はだるそうに手で首のうしろを揉んでいた。

「いいか、よく聞け。おまえが二十六歳の生意気盛りなら、そういう一匹狼的な態度もいいだろう。周りだってとやかく言わないさ。しかし四十六だぞ。部下がいる中間管理職だぞ。仕事さえしてればあとは関係ないなんて言えるか？　五課は誰も参加しないなんて、ほかの課はどう思う」

「会社の行事なんて、みんないやがってることだろう。休みを潰されて」

「そりゃそうだけど」

「だったら一人一人が拒否すればいいんだよ。おれはその先駆けだ」

「屁理屈だよ、それは。おまえはこういうのを日本のムラ社会って馬鹿にするかもしれないけどな、人間が社会的な生き物である限り、どこの国にだってある話なんだぞ。個人主義と言われるアメリカだって、日曜日に教会に行かなきゃ白い目で見られるとか、庭の手入れを怠ると近所からクレームがつくとか、こっちの勝手だろうじゃ済まないものなんだよ。協調性っていうのはどんなコミュニティでも必要なんだ」

「それくらいはわかる。ただし程度問題だ。日本の会社はやり過ぎだよ」

「じゃあ言うが、自由も程度問題だ。おまえは頑《かたく》な過ぎる。少しぐらい周囲に合わせたってばちは当たらないだろう」

「田中も大変だな」浅野が目を伏せ、苦笑した。

「どういうことよ」

「飯島部長の差し金だろう？　浅野の勝手にはさせるなって」

カップを持つ手が止まる。飲まずにソーサーに置いた。

「総務の知り合いから聞いた。部長が五課を潰そうとしてるって」

返答に詰まった。知ってるのか。浅野はおかしそうに肩を揺すっている。

「あの部長も、やりなれてないことをするもんだから情報がぽろぽろ漏れててな。相当力んでんだよ。総務のやつに言わせると、事業推進部に同期の部長がいて、その人が人事を好きなように動かしたから、自分もやってみたいんだろうって」

ああ、そっちの理由が主なのか。飯島の浅黒い顔が浮かんだ。

「で？　おれはおまえの下に行くのか、高橋の下に行くのか」

浅野が乾いた口調で言う。もう諦めているという感じだった。

「おまえ、それでいいのか」

「いいも悪いも、おれが決めることじゃないだろう」

「部長はチャンスを与えるって言っているぞ」

「いらんよ」手で撥《は》ねる真似をする。

「あっさり言うな」思わず声を荒らげていた。「いまいる部下のことを考えろ。短い期間かもしれんが、おまえを信じてついてきた連中だろう」

「大丈夫だ。出世したけりゃほかに大樹を探せって、最初に言ってある」

「ふざけるな」だんだん腹が立ってきた。

「運動会の件は、要するに部長に尻尾を振れってことだろう？　おれには無理だな」

「格好つけるな」

「つけてないさ。人には性分ってものがあるんだ」

「そんなもん変えろよ。みんな下げたくもない頭下げて、愛想笑いして、自分を殺して、そうやって生きてんだ。おまえだけ逃れられると思うな」

「おまえが怒ることはないだろう」

「迷惑なんだよ。おまえが降格するのは」

浅野を自分の部下にするのはいやだ。後輩の高橋に五課ごと持っていかれるのはもっといやだ。

「何を興奮してんだよ」

「おまえが運動会に出てくれたら、おれが絶対に五課を潰させない。部長に約束を取りつけてやる」

「無理だよ。先行きは長いんだ。この先いくらでも衝突するさ」

「数年我慢すればまた異動があるだろう。それまでだ」

「おい」

「なんだ」

「声を下げろ」

浅野に言われ、周囲を見まわす。店内の客たちがこちらを見ていた。

「ああ、すまん」我にかえる。声を低くして言った。「一生の願いだ。聞いてはくれないか」

浅野は返事をせず、窓の外に視線を移した。芳雄もそれに倣う。会社帰りのＯＬたちの楽しそうな横顔が見えた。

「部長も大人気ないと思う。でもな、こういうのが会社なんだ」

「馬鹿馬鹿しい」浅野が外の景色に向かってつぶやく。

「わかってる。二、三日、時間をやるから考えてくれ」

レシートを手に立ちあがった。支払いは芳雄が済ませ、二人で外に出る。

猫背で歩く長身の浅野を見送った。

無理だろうな、あの男は。我《が》を通し、そのぶん多くの痩せ我慢をし、ここまで生きてきたのだ。

首を左右に曲げる。ボキボキと骨が鳴った。

自分の課で引きとるか、三課の高橋に譲るか、そっちを考えた方がいいのかもしれない。

高橋に譲れば、部長に甘い男だと思われる。おまけに三課だけが大所帯となり、第一営業部内の筆頭部署となる。それは面白くない。

引きとった場合、浅野は自分のことをなんて呼ぶのだろう。

上司と部下の関係になる以上、呼び捨ては許されない。

深いため息をつく。秋風が足元を吹きぬけていった。

珍しく午後八時前に帰宅すると、千里と子供二人が居間でテレビを見ていた。寝室で着替えている間に、俊輔の方は二階へ上がってしまう。露骨に避けている感じだが、中学生以降はずっとこうなので、もはや気にもならない。

夕食を温めてもらい、一人で食卓につく。

食べていたら、千里が前に座り、頬杖をついた。

「角の本屋のタケシ君ね――」

「おお、そうだ。どうなった」

「やめた方がいいみたい」目を細めている。「あそこの奥さんに聞いたら、タケシ君、遊びほうけて留年は決定的なんだって。跡継ぎで就職の心配がないものだから、資格を取るわけでもなし、社会奉仕の実績を作るでもなし。とてもよそ様に説教をたれる身分じゃないって」

「礼儀正しい、いい子だったじゃないか」

「それは小学生まで。中学でズボン引きずってたの知らないでしょう」

味噌汁をすする。具の大根を口に入れた。

「ほかにはいないのか。探せよ。有名大学で、女にモテまくって、家庭教師のバイトで儲《もう》けて、夏休みはハワイに行って、ウハウハの学生生活を送っているナイスな若者を」

「探さなくたって、俊輔の高校の先輩をたどればいくらだっているんじゃないの、そういうありきたりの大学生は」

「じゃあそっちで相談するように言えよ」

千里に茶碗を差しだす。半分でいいから、そう言って漬物をつまんだ。

「俊輔はその手の青春に憧れてないの。それどころか馬鹿にしてるのよ、熱中できることがない退屈な連中だって」

「いったい誰に似たのやら。おれが高校生のときはもっと能天気だったぞ」

「早く一人前になりたいのよ。最近じゃあお小遣いもねだったりもしないの。ケータイの電話代、これからは自分で払うからいいって」

「大学生になってから言ってほしい台詞《せりふ》だな。どうして十七歳で――」

「おにいちゃんのチームね」台所へ来た娘の有加が口を挟んだ。「ファンクラブができたんだって」冷蔵庫からジュースを取りだし、パックの口から飲んでいる。

「有加。コップを使いなさい」と千里。

「市民会館前の広場で踊ってるうちに、近所の女子高生とか女子中学生とかが毎週見に来るようになったの。もう二十人くらいいる」

「暇人どもが。ほかにすることはないのか」

「この前なんか、プレゼントもらってた。ニットの帽子」

それだけ言うと、また居間へと去っていった。

「そういう馬鹿がいるから増長するんだ」芳雄が苦々しげに言う。

「いいじゃないの。モテないでゲームやアニメに熱中する高校生よりは」

千里はお茶を入れ、自分で飲んでいた。

「やけに理解があるじゃないか。おまえ、まさか賛成してるんじゃないだろうな」

「昼間、見て来たの。俊輔が行きたがってるダンススクール」

湯飲みを両手で包んでいる。

「ほう、それで？」

「大手レコード会社が親会社だから、怪しいところではないみたい。きれいなビルよ。そこのワンフロアを借りきってて、ガラス張りのスタジオで若い子たちがみんな踊ってた。目がいきいきしててね。ちょっと感動した」

「おい、頼むよ」箸を止め、顎を突きだした。「おまえが感化されてどうする」

「だって事実だもん。少なくとも予備校の授業風景よりは輝いてると思う」

「当たり前だろう、遊びなんだから。比べるようなものか」

残りのご飯をかき込み、お茶、と語気強く言った。千里が肩をすくめ、湯飲みにお茶を注いでいる。

「そろそろ自分で説得してみれば」千里が言った。

「だから、それは……」ひとつ咳払いする。「父親は最後の砦だって言ってるだろう」

「俊輔がおとうさんに聞いといてくれって」

「何を」お茶を一口すすった。

「サラリーマンになって本当によかったかって」

「やだ、やだ。まったくもう、どこかで聞いたようなことを」芳雄は顔を歪《ゆが》め、盛大にため息をついて見せた。「サラリーマンになってしあわせでした、なんてやつはいないの。おれはいまの会社に入ってしあわせなの。平均より高い収入を得て、世間の通りもよくて、家も建てられて、家族に贅沢をさせられて。そういう結果にしあわせを感じてるわけ。そのためにはいい大学を出て、いい会社に入った方がいいに決まってるの」

「じゃあ自分で言いなさいよ」

「それくらいおまえが気を利かせて反論しろよ。息子にそんなこと言われて、おまえは黙って聞いてたのか？　夫が侮辱されてんだぞ」ふつふつと怒りが込みあげてきた。「わたしは会社員のおとうさんと結婚してしあわせでしたって、どうして堂々と言わないんだ」

「そんなの急に思いつかないわよ」

「ぼうっと生きてるからだ」

「なによ、ぼうっと生きてるって」千里が色をなした。

「要するにおまえも世間知らずなんだ」

「じゃあ働きに出ます。外で世間を学んできます」

「そういうことは言ってないだろう」

「言ってるわよ。人を馬鹿にして」頬が赤く染まり、目は吊りあがっていた。

「馬鹿になんかしてないって」芳雄が口調を変える。

「食器、自分で洗ってくださいね。外で働くようになったら、家事は分担ということになりますから」

千里が冷たく言い、席を立った。「いや、そのね」いっそう声を柔らかくしたが、妻の背中を見送ることとなった。

どうしてどいつもこいつも理屈が通らないのか。損得を考えるのは悪いことではない。少し頭を使えばわかりそうなものだろう。

二階に駆けあがり、俊輔を叱りつけたい衝動に駆られた。

いいや、一度こじれたら余計にややこしくなる。

考え直し、流しに立った。自分で食器を洗う。くそお、家長をなんだと思ってる。口の中でつぶやいていた。

翌日の会社帰り、芳雄は件《くだん》のダンススクールを見てみることにした。一人では入る勇気がないので庶務の博子を誘う。簡単に事情は説明したが、息子が働きたがっていることは省いた。

千里が言うとおり、瀟洒《しょうしゃ》なビルのワンフロアにあった。

「ここってきれいですよ」博子が感心している。「いま流行だから、いんちきなスクールだってあるんですよ。ここなら大丈夫じゃないですか」

明るく清潔なのがせめてもの救いだった。これでゴキブリが這いまわるような場所なら、親としては気が滅入ってしまうところだ。

受付ロビーには講師と思われる男女の写真が掲げてある。

「課長。この人、マンゴー鈴木ですよ」博子が眼を輝かせて言った。「テレビによく出てる振り付け師ですよ」

なんというヘアスタイルだ。中でスズメでも飼っているのか。

「あっ、××のバックダンサー。こっちは××のメンバー」

芳雄の知らない名前が次々と出てくる。いずれも指名手配されれば一度で覚える顔立ちだ。

チャイムが鳴る。俊輔と同年代の若者たちが、ロッカールームからぞろぞろと現れ、ガラス張りのスタジオへと入っていった。

彼らの風体に度肝《どぎも》を抜かれる。息子はましな方だと思った。鼻ピアスがここでは珍しくない。

各自がストレッチで体をほぐしているところへ講師が登場した。全員が起立し、大声で挨拶をする。

「よし、気合入れていくぞ。ついてこれないやつは見学にまわすからな」

講師の大声がガラス越しに聞こえた。

意外だった。まるで体育会のノリだ。ロビーにいた見学者たちも真剣な表情で見つめている。音楽が流れ、若者たちが揃って踊りはじめた。奥の鏡に向かって踊っているので、その背中を眺める格好だ。

素人目にもうまいのがわかった。動作にメリハリがあり、流れもある。絵になっていた。みんな頭が小さく手足が長い。日本人は、こういうことになっていたのか。芳雄は圧倒された。

博子も身を乗りだして見入っていた。「これってきっと上級者ばかりですよね」隣で頬を紅潮させ、つぶやいた。

俊輔はどのレベルなのだろう。ついそんなことを考えた。

若者たちの飛び散る汗を見て、奇妙な懐かしさを覚える。

青春、という言葉があることを思いだした。

飽きずに三十分も眺めていた。

4

社内運動会が翌週の月曜に迫ってきた。部長の飯島には「浅野は来るのか」と、意地悪い口調で聞かれた。「高橋に内々に聞いたら、三課で受け入れても構わないって言ってたぞ」そう言い、口の端だけで笑う。

この男の根回しはほとんどザルだ。博子までが噂を聞きつけている。ついていって大丈夫か？　そんな不安が頭をよぎる。

丸く治めようともした。

「部長、考え直しませんか。ちょっと大人気ないと思うんですよ」

「大人気ないとはなんだ」

しかし飯島が顔を赤くして怒りだし、芳雄は何度も頭を下げるはめになった。

浅野はいつもどおり悠々としている。定時に出社し、スポーツ新聞を広げる毎日だ。

「大島監督は今季限りかな。中日時代からファンだったんだけどな」

おまえの心配をしろ、おまえの。

ちなみに、浅野の返事は「やっぱり行かない」のひとことだった。

「おれはな、最終的には自分の生理に従うんだ」

「いいのか。それで」芳雄は説得を重ねた。「降格すれば役職手当が消えるぞ。月三万円の十二ヵ月で三十六万円だ。なあ浅野。一日我慢するだけで、三十六万円儲かるんだ。そう考えることはできないか」

どうしてこれほど熱心に説き伏せようとしているのかわからない。浅野が降格した場合に生じる問題もいやだが、それ以上に何かがいやだった。

自分なら一も二もなく頭を下げる。なのに浅野は下げない。

馬鹿な痩せ我慢を続ける四十男がいる。

「裏で舌を出してりゃあいいじゃないか。人生、その手のしたたかさも必要だぞ」

「いいよ、いいよ、おれは」

浅野はかすかに苦笑し、かぶりを振るばかりだった。

女子社員たちは浅野のことをスナフキンと呼びはじめた。「ムーミン」に出てくる浮世離れしたキャラクターだ。

家では妻と本格的な喧嘩をした。

夜、千里が俊輔のズボンの穴を繕《つくろ》っていた。聞くと、ダンスの練習で膝が擦りきれてしまったらしい。千里の仕草には、息子の世話をするのがうれしくて仕方がない甲斐甲斐しさがあった。

「自立したいなら裁縫も自分でやらせろ」

ついきつく言ったら、血相を変えて反論された。

「親が子供のやることを応援してどこが悪いのよ。非行につながるようなことでもなし、バイクみたいな危険なものでもなし、ダンスはいたって健全じゃない。あなただってダンススクール、見てきたんでしょ。みんな一生懸命で、ひたむきで、とってもいい子だったじゃない。努力する若者に手を差し伸べるのが大人の務めでしょ」

千里はいっきにまくしたてた。珍しいことだった。

「おまえも子供だな」芳雄も負けずに言いかえした。「子供の夢に付きあうのは大人のすることじゃないぞ。厳しくても、退屈でも、世の中の現実を教えるのが大人の役割なんだよ。ダンスなんかで飯が食えるのか。仮に成功例があるとしても千人に一人とかだろう。俊輔がその一人になれるか？　おれは無理だと思うね。きっと残りの九百九十九人だ」

「どうして自分の子供をそういうふうに言えるわけ」千里が目を剝《む》いた。

「ピアニストとか、絵描きとかならまだいい。トップに立てなくても先生として人に教えて生計が立てられるからな。でもダンサーなんてのはだめなら無職だ。その可能性の方が高いんだ。それくらいわかるだろう。わかるならどうして応援なんてできる。おまえは無責任なんだ。子供と一緒になって甘い夢を見るんじゃない」

つばきが飛んだ。理屈の通らない妻に苛立ちがつのった。

「だめなら、そのときは別の道を探せばいいじゃない。日本は豊かなんだもん。仕事なんかいくらだってあるわよ」

「それなりの大学を出て、資格を持ってればな」

「それはサラリーマンになるっていう前提でしょ。世の中の職業は何もサラリーマンだけじゃありません。自分でお店を開いたり、会社を興《おこ》したり、いくらだって生きて行く道はあるんです。だいいち、俊輔は取《と》り柄《え》があるんだもの。最初からサラリーマンに限定する必要なんてどこにもないじゃない」

かちんときた。「じゃあ何か？　会社員はなんの取り柄もない人間がなるものなのか？」手でテーブルを叩いた。

「ちょっと、音をたてないの」

「おれは取り柄がなくて悪かったな」

「そっちこそ子供みたいなこと言わないの。あなたはきっと会社員としての取り柄があるのよ。部長さんに気に入られて順調に昇進してるんだから。それでいいじゃない」

「馬鹿にするのか」

「してないじゃない。何をひがんでるのよ」

千里が引き下がらないので延々一時間も言い合いは続いた。いつもは簡単に言い負かすのに、その夜の妻はやけに手ごわかった。

冒険しない人間は冒険者が憎い。自由を選択しなかった人間は自由が憎い。どこで仕入れてきたのか、千里は小癪《こしやく》な台詞《せりふ》を吐いた。

言っていいことと悪いことがあるだろう。完全に頭に来たので芳雄は客間に布団を敷いて寝ることにした。

押し入れを開けたら、奥に高校時代に買った偽レスポールが埋まっていた。

ケースにはマジックで「北高のジミー・ペイジ」と書いてあった。十七歳のときの、自分の字だ。

こんなところにあったのか。見つかったことが腹立たしかった。

八つ当たり気味にケースを叩いたら金具で手を擦りむいた。

体育の日は朝から晴天だった。芳雄は午前六時に起床し、バスを乗り継いで郊外のグラウンドへと向かった。設営などの準備はすべて業者任せだが、各部から数名が手伝いに出ることになっていた。

芳雄は正面テント内の席順を決めた。飯島を最前列の局長の隣にしてやった。

名札を作り、椅子に張る。自分の筆跡に気づいてくれるだろうと思った。

博子が眠そうな目をこすりながらやって来た。

「課長。コスプレ・リレーはセクハラだって、組合に告発しておきましたからね」

「そう言うな。看護婦の衣装は誰か男に着せるから」肩を叩いてなだめた。

応援席となるトラック周りには青いビニールシートが敷いてある。博子の手を借り、部署ごとに区割りしていった。

「わたし、日本人のこういう貧乏臭いところがいやなんですよね」博子が文句をたれている。「土の上に青いビニールシートだって。やだやだ。どうして芝生に綿のシーツっていう発想がないんだろう」

「花見のときはビニールシートでもよろこんでたじゃないか」

博子は怖い顔になり、口を利かなくなった。

八時を過ぎたあたりから社員たちが集まりはじめた。家族連れもいる。総務が各部署に「家族連れ要員」を割り当てたからだ。

花火が打ちあげられ、運動会の雰囲気が漂ってきた。

時間が来たところで社員が部署ごとに整列した。壇上に副社長が立ち、挨拶をする。笑わせる選手宣誓があり、全員で社歌を唱和した。

博子が腕をつつく。振り向くと目配せされた。視線の先をたどる。列の最後尾に浅野がいた。背の高い浅野が、首を伸ばし、社歌を唄っていた。

目が合う。浅野が苦笑いする。照れ隠しなのか、それ以上表情を変えなかった。

開会式が終わったところで駆け寄った。

「おい、双子の弟とかじゃないよな」うしろから肩を揉んだ。

「兄がお世話になってます」浅野も冗談でかえした。

「どういう心境の変化だ」

「うん?」手で横髪をすいた。「大人の対応ってやつよ」

心が晴れていくのがわかった。これでいいんだ、世の中は。主義だの美意識だのは、生活する上で邪魔なだけだ。自分だけが人とちがうことをして、特別な人間にでもなったつもりでいるのは、子供じみた振る舞いなのだ。

うれしくなって脇腹をつついた。浅野は笑って払いのけ、応援席の後列へと逃げていった。

博子がどこからともなく情報を仕入れてきた。局長が浅野に電話を入れたらしい。飯島の顔を立ててやってくれ、と。

その局長は総務から釘を刺されたようだ。人事課の決めたことを尊重してほしい、と。

「飯島部長だけ少々不機嫌」博子が声をひそめて言った。

丸く治まったのだ。自分の説得も少しは効果があったはずだ。間に立ったことは局長の耳に入っているのだろうか。だとしたら、もっとうれしいのだが。

競技が次々と実施されていった。

玉転がしやスプーン競走などに混じって、真剣勝負の綱引きもある。

部局対抗なだけに、応援席は盛りあがり、野次も飛びかった。

芳雄はコスプレ・リレーに出場した。セーラー服姿でトラックを疾走し、やんやの声援を浴びた。

浅野は若い社員たちに混じって障害物競走に出ていた。それ以外は、応援席の最後列で寝転がっている。スナフキンとはよく言ったものだ。いっそギターでも抱えていればいい。

騎馬戦が始まる段になって飯島が現れた。

「第二も第三も部長が出るっていうから、おれも出ることにした」

少し酒が入っているのか赤い顔で言った。

「じゃあ、若いのに馬をやらせましょう」芳雄が進言し、周囲を見まわす。「おーい、誰か力のあるやつ、馬になってくれ」

いかにも運動部出身という二十代がたちまち数人名乗りでた。

「先頭の馬は浅野にやってもらおう。縁の下の力持ち役は管理職に範をたれてもらわんとな」

飯島が、うしろで寝転がっている浅野を顎でしゃくった。

「じゃあ、わたしがやりますよ」すかさず芳雄が前に立った。「こう見えても、逃げ足は自信があるんです。うしろからそっと近寄るなんてのは、もう得意中の得意で――」

「君には頼んどらんだろう」ぞんざいな口調で押しのけられた。「おい、浅野」よく透る声で言った。「やってくれるか」

応援席に緊張が走った。噂はとっくに広まっている。みなが表情を曇らせ、成り行きを見守った。

「いいですよ。やりましょう」

浅野が乾いた口調で言う。体を起こし、肩を軽くまわした。

応援席に安堵の空気が流れた。博子までが胸を撫でおろしている。

浅野が先頭の馬になり、飯島が上に乗った。飯島は靴を脱がなかった。

大人じゃないよな。そんなことを思う。休みの日に、会社全体で、こんなことをしている、それ自体が大人のすることではないのかもしれないが——。

騎馬戦はスタートした。飯島が浅野の頭に手を置き、進む方向を指示している。そこまでするか、と少しいやな気がした。部内の人間に力関係をアピールしたいのかもしれないが、逆に反感を買うことだってある。

グラウンドのあちこちで土煙がたった。どうしても浅野に目が行ってしまう。懸命に走っていた。大股で悠々と歩く男というイメージがあるので、妙な居心地の悪さを覚えた。少なくとも見たい光景ではなかった。飯島の乗った騎馬は、背中のリボンを取られ、あっけなく敗退した。

「ご苦労さん」帰ってきた浅野にねぎらいの言葉をかけた。

「おう」軽く返事をして、また一人になろうとする。

女子社員たちが飲み物を持って、浅野の周囲に腰をおろした。中に博子もいた。気遣っているのだろう。しきりに話しかけ、談笑していた。

滞りなく競技は遂行され、昼食の時間になった。弁当が配られ、あちこちに人の輪ができている。浅野の周りには女子社員たちがいた。浅野は女の母性本能をくすぐるのかもしれない。

幹部テントをのぞいたら、酒が振る舞われていた。秘書課のきれいどころが世話をしている。会社行事は、出世した男たちにとって自分の成功を確認する格好の機会だ。芳雄も缶ビールを一本だけ分けてもらった。

昼食後は部局対抗の応援合戦になった。どの部署にも目立ちたがりがいて、即興で楽しい応援を繰り広げてくれる。

第一営業部からは、男女の空手経験者が空手の型を披露することになった。準備をしていると、そこに飯島が現れた。先程にもまして赤い顔をしている。

「空手の型？　地味だろう。課長五人で阿波踊りでもやったらどうだ」

「部長。急にそんなことを言われても」芳雄が言葉をかえした。

「業者に聞いたらほとんどのＢＧＭはあるそうだぞ。お囃子《はやし》はみんなで空き缶でも鳴らせばいいじゃないか」

「無理ですよ」

「何が無理だ」不機嫌を隠そうとしなかった。「第二はサンバで、第三はフラダンスだぞ。それも課長連中が率先してやってんだ。フラダンスなんか腰巻一丁だ。そうやって自らピエロを演じることによって、部下と上司の垣根がなくなり、その後の仕事が円満に進むんだ。職場っていうのは、気取ってるやつがいるとだめなんだ」

飯島の矛先《ほこさき》がまた浅野に向かっていた。部長もしつこい男だな。各自のそんな思いが澱《よど》んだ空気となり、あたりに漂っている。

「じゃあ、わたしがやります。メンバー選びは任せてもらえますか」芳雄が言った。

「メンバーは課長五人だ。言っただろう」

「こういうのは向き不向きがあると思うんですよ。だから――」

「仕事を不向きだからって断れるか？　なんでもやるのが営業マンだろう」

「しかし、これはレクリエーションなわけですから」

「うるさい、口答えするな」吐いた息に酒の匂いがした。「おまえは黙っておれの言うことを聞いてりゃあいいんだ」

さすがに腹が立った。応援席には部下も社員の家族もいる。みんなの前でその言い草はないだろう。

「部長、お遊びですから、強制はいけませんよ」それでも笑顔を崩さずなだめる。

「お遊びとはなんだ。おまえは会社行事を馬鹿にするのか」

「いや、そうじゃなくて」

「チームワークをより強めようという意義ある行いだろう」

飯島のつばきが顔に飛んだ。いいかげんうんざりした。

「おい、田中」その声に振りかえる。浅野が立っていた。「阿波踊り、いいんじゃないの。こうやるんだろ？」身振りをした。

「いいよ、おまえはやらなくて」不意にそんな言葉が出た。浅野の阿波踊りなど見たくない。さっきの騎馬戦の馬役で充分だ。

「いいとはなんだ。どうしておまえが決める」飯島がにらんだ。

「だから、ほら、誰がやっても一緒ですから」

「一緒ってことがあるか」胸をつつかれた。

「暴力はいけませんよ」

つい、つつきかえす。そうしてしまった自分に驚く。

「おろ？　なんだ貴様、上司に向かって」再び胸をつつかれた。

「いや、だから、あんたもしつこいね」つつきかえす。

「あんた？　おい、いまなんて言った」飯島が顔を真っ赤にした。

「もういいじゃないですか」

頰がひきつった。飯島も同様だった。きっとこうして喧嘩は始まるのだろう。

「いいわけないだろう。貴様、上司を愚弄《ぐろう》したな」

「子供みたいなこと言うからでしょう」

飯島が胸倉《むなぐら》をつかんできた。荒い息を吐いて「この野郎」と唸る。

数人の男たちがあわてて間に入り、飯島を芳雄から引き離した。

離れ際に、飯島の蹴りが飛んだ。芳雄の膝に当たる。

かっとなり、蹴りかえした。激情が込みあげてきた。

「馘《くび》だ、この野郎」飯島がわめく。

「部長でどうして馘にできる。人事権なんかないくせに」

うしろから羽交《はが》い締《じ》めにされた。「落ち着けよ」浅野の声だった。

この野郎、おまえのせいで——。声にならなかった。

どうしてこんな目に遭わなければならないのか。おれは事を荒立てたくないタイプなんだ。あちこちに気を遣って、心配をして、それなのに……。

みんなが見ていた。よその部署の連中まで、周囲を取り囲んでいた。

数人に押さえこまれ、グラウンドの隅まで連れていかれた。

木の下にしりもちをつく。体が震えていた。

しばらくは浅野を相手に、部長を非難し、自分の正当性を訴えた。

怒りなれていないせいか、なかなか興奮が鎮まることはなかった。

運動会の夜は浅野と飲んだ。一人になりたいというのに、ついてきたのだ。

飯島は怒って途中で帰ってしまった。芳雄は居場所がなく、終わるまで用具テントのマットの上でふて寝していた。

話を聞きつけた局長が、笑いながらやって来て、「明日の朝は、まずおれのところへ来い」と言ってくれた。せめてもの救いだった。

「かっこいいよな、おまえは」ウイスキーをあおり、芳雄がつぶやいた。「一匹狼で悠々と生きてんだから」

「そんなことねえよ。人の輪に入れないだけだ」浅野が静かに言う。

「なに言ってる。女子社員にはモテてるだろうが」

「出世の見込みがない者同士は仲がいいんだ」白い歯を見せる。

店内には昔のロックが流れていた。ときおり鼻歌で合わせる。

黙々と飲んだところで、浅野が口を開いた。

「なあ田中。おまえ、どうしておれを庇《かば》おうとした」

「別に庇ってなんかいねえよ」

「でも、おれに踊らせまいとしただろう」

芳雄はグラスを置いた。店主にティッシュをもらい、鼻をかんだ。

「踊らない人間も、一人ぐらいいてほしいと思ってな」

「どういうことよ」

「おれと同じ人間ばかりじゃいやなんだ。変わり者がいなくて、同類ばかりだったら、職場は息が詰まるだろう。ちがう価値観のやつにもいてほしい、あのとき、そう思ったんだ」

「ふうん」浅野が視線を落とした。とくに返事はなかった。

午前零時過ぎまで飲んだ。ボトル一本の大半を芳雄一人で飲んだ。

帰宅すると家の中は真っ暗で、千里もすでに寝ていた。

居間の電気を点《つ》け、ソファに深く身を沈めた。風呂に入る気も起きない。頭がじんじんと痺《しび》れてきた。小便でもするか。おぼつかない足取りで廊下を歩く。階段の下を通った。

ふと立ちどまり、見上げる。

階段を上がっていた。足音を響かせながら。

俊輔の部屋のドアを開けた。手でスイッチをまさぐり、電気を点けた。

「おい、俊輔。起きろ。話があるんだ」ベッドの横まで行き、体を揺すった。

俊輔が目を覚ます。驚いた顔で父親を見上げた。「なんだよ」かすれ声を出す。

「ダンサーになりたいんだってな。好きにしろ。邪魔はしない」

「なんだよ、いきなり」

「ただしダンススクールで働くというのは絶対に許さん」

「ちょっと、どうしたんだよ」

「大学へは行かせる。絶対に行かせる。世の中はおまえが考えてるほど甘くはないんだ。よっぽどの才能がない限り、協調性は生きて行く上で必要なんだ。おとうさんな、浅野は好きだよ。認めるよ」

「誰よ、浅野って」

「でもな、やつも特別な才能がない限り、人と合わせるべきなんだよ。今日はいい。許す。でも明日からはだめだ」

「いったいなによ。なんの話よ」

「おまえもな、いつかわかる日が来る」

「わかんねえよ、なんの話か」

「会社員になる可能性の方が高いんだ。そうなったら出世した方がなにかと便利なんだ」

「おかあさーん！」俊輔が階下に向かって叫んだ。

「学歴とか、会社の名前とか、おとうさんだって好きじゃないぞ。でもモノを言うんだから仕方がないだろう。おまえやおとうさんだけで世の中を変えられるか？」

「おやじ、酔っ払ってんのかよ」

「酔ってて悪いか」

「おかあさーん！」

パジャマ姿の千里が二階へ上がって来た。

「あなた、どうしたのよ」目を丸くしている。

「父と子の会話だ」胸を反らせて言った。

「おやじ、狂ってるよ」

「狂ってない。おまえのことを心配しているから、こうやって階段を上がって来たんだ。おれにとって二階は、役員室より遠いんだ」

「ちょっと、大きな声出さないの」

「ここはおれのうちだ。声ぐらい——」

千里に腕を引っぱられ、腰が砕けた。めまいがしてその場にへたりこんだ。

「ちょっと、あなた、大丈夫」

「ねえ、どうしたの」

有加の声が聞こえた。瞼《まぶた》が重くて持ちあがらなかった。

「おやじが狂った」

「狂ってらい」

呂律《ろれつ》がまわってない。代わりに頭がぐるぐるまわった。

「起きて。こんなとこで寝ないでよ」

「どこで寝ようがおれの……」

いよいよ意識が怪しくなった。

「ちょっとォ、だめよ、こんなところで……」

千里の声がいっきに遠のいていった。


部長の飯島とは翌日和解した。局長が間に入り、仲をとりもってくれたのだ。芳雄から頭を下げた。自分は少しも悪くないと思っていたが、相手のメンツを考え、謝罪した。

飯島もばつが悪かったのか、「いや、昼間っから悪い酒を飲んじまったな」としきりに照れていた。

みんなの前で飯島が芳雄を昼食に誘い、それで仲直りをアピールした。会社とはそういうところだ。

浅野はマイペースだ。仕事だけは手際よくこなしているので、もう飯島も文句を言わなくなった。女子社員たちはますます浅野の味方なので、敵にまわしたくないのかもしれない。

息子の俊輔とはあの夜以来、口を利いていない。相変わらずダンスに熱中していて受験勉強は怠《おこた》っている様子だ。千里を通し、「話があるなら寝込みを襲わないでくれ」と言ってきた。

「俊輔、笑ってたわよ」千里が教えてくれた。

その言葉で、しばらく大丈夫なような気がした。

父親は最後の砦だ。そう簡単に出馬するわけにはいかない。

芳雄は家の廊下を歩くたび、階段下で立ち止まって二階を見上げる。

総務は女房

1

事務系部署への異動は初めてだった。

四十四歳の恩蔵博史《おんぞうひろし》は、入社以来ずっと営業畑を歩いてきた。大手家電メーカーで、販売戦略を練り、ルートを開拓し、製造部門との調整を図ってきた。海外勤務も経験し、企業間競争の最前線で働いてきた。周囲に一目置かれていたし、自負もあった。

だから総務部第四課課長の拝命をすんなりと受け入れた。

博史の会社では、局長候補は一旦現場から外すのが習わしになっていた。別の世界でちがう空気を吸ってこい、という意味あいである。

現在いる五人の営業局長は、すべてが四十代で一度事務系に回っていた。つまり出世コースなのだ。

「つまんねえの」と周囲に愚痴りながらも、博史の胸は大きくふくらんでいた。おそらく自分は二、三年、総務で羽根を休め、次は部長として営業に舞い戻ってくるのだろう。そしてその先は局長のポストだ。

「ボケるなよ」営業部の同期に言われた。

「休日出勤もないし、盆栽でも始めようかと思ってな」冗談で返したが、一足お先にという気分だった。

直属の藤原局長からは「おめでとう」と握手を求められた。

「会社全体を眺めるにはいい機会だ。いろんな人間がいるし、いろんな価値観が混ざりあっている。前線にいると、つい後方支援の存在を忘れるしな。おれも宣伝に二年いたけど、世界が広がってよかったと思ってるよ」

藤原局長は、いつもとちがった柔和な表情をしていた。「じゃあ二年後にな」と肩もたたかれた。

そうか、二年間という話ができているのか。

お墨付きをもらったも同然だった。

博史は少しカジュアルなスーツを新調した。内勤は営業とちがい身なりの制約が緩い。新しい立場を楽しもうと思った。

髪の毛を先だけ薄く茶色に染めた。一度やってみたかったのだ。

総務部のフロアは三十階建て社屋の二十八階にあった。外出が少ないので高層階でもいいのだろう。それまでの五階とはちがい、窓からは遠くに三浦半島の稜線が見えた。

部長に先導され、第四課の部下たちの前に立つ。自分を入れても六人の小所帯だ。気負うこともないと思い、笑わせることにした。

「恩蔵です。『恩知らず』の恩に、『蔵建てた』の蔵と書きます」

たちまち場がやわらぐ。全員が白い歯を見せていた。

「勝手がわからないので、最初はご面倒をかけると思いますが、どうぞよろしくお願いします」ちゃんと頭も下げた。「ご意見は、なんなりと。みんなで風通しのいい職場を作っていきましょう」

拍手が起こった。博史は一人一人に笑みを投げかけた。

穏やかそうな部下たちだった。営業部の眼光鋭い連中とは、顔つきがちがっている。きっと環境が人を作るのだろう。競争がないのだ。

係長は年上の中山という男だった。中山は机の横まで来ると、「当面は現状維持で仕事を進めます。課長は慣れたころ、指示を出してください」と小声で言ってくれた。

厭味な感じはなかった。前任者も年下だったというし、中山は昇進を強く望むタイプではなさそうだ。

女子は二名いて、四十代半ばの白井育子は四課の最古参。二十一歳の原田愛子は入社一年目で、まだ短大生の雰囲気が残る。

「課長はコーヒーに砂糖とミルクは入れますか」と聞いてきたのは育子。愛子は、「あっ、ポール・スミスですね」と目ざとくスーツのタグを見つけた。

拍子抜けするほどの和《なご》やかさだった。「腰かけ課長」だということは、全員が知っているはずなのに。

こういう世界もあるのだな、と博史は目から鱗《うろこ》が落ちる思いがした。営業部なら新任の課長など、まず「お手並み拝見」という冷徹な目にさらされる。

「課長、毎朝ラジオ体操をするとか言いださないでくださいね」

三十歳の藤井が全員を笑わせた。

吹きだしながら、五階に戻ったら利己的な空気を改める必要がある、と、そんなことまで博史は考えてしまった。

早速その日の夜に歓迎会が開かれた。

会社の近くの居酒屋で、鍋を囲んで談笑した。

「じゃあ課長は、業務の鈴木さんと同期のわけですね」

まずは無難に交遊関係の話などをする。

「高橋君は大阪へ行っちゃったね」

「でもあの人、奥さんが関西出身だから」

「知ってる。秘書課にいた松本さん」

グループ企業も合わせれば従業員五万人の大会社だった。共通の知り合いがいると いうだけで話が盛りあがる。

「課長はアメリカにいらしたんですか」と藤井。

「うん。ニューヨークに二年、ロスに一年。続けていたからアメリカン・イングリッシュが癖になっちゃってね。英国へ行くと苦労するんだよ」

「いいですね。英語ペラペラなんだ」

「そりゃあ海外事業部にいたから」

「ほかにもいろんな国に行ったんですか」愛子が興味深げに聞いた。

「東欧にもアフリカにも行ったよ。三十ヵ国ぐらいかな」

「いいなあ」うっとりするような目をした。

「F1のスポンサーになったときは、一年で十ヵ国以上回ったよ。朝起きて、『ここはどこだっけかな』なんて思うこともあってね」

「会社のお金で行けるんだから最高ですね」愛子がしきりに羨《うらや》ましがる。

「仕事だよ」博史は顔をしかめて見せた。「出たくもないパーティーに出たりして、結構大変なんだから」

博史の会社はオリンピックのスポンサーだったこともある。バルセロナのメインスタジアムで開会式を見たときは、特権と言っていいほどの役得に、正直酔った。

ふと中山を見る。会話には加わらず鍋のアクを取っていた。ほかの部下も乗ってこない。

こういう話は自慢に聞こえてよくないか――。博史は話題を変えることにした。総務は出張がほとんどない。海外へ行きたければ、休暇をとって自分の金で行くしかない。

「パリは行ったことあります？」なのに愛子は外国の話をせがむ。

「うん。五回ほどね」しばらくパリ案内をしてしまった。

二軒目は落ち着いた雰囲気のバーに行った。

話題は、社屋の役員フロアに豪華なサウナがあるらしい、というたわいもないものに移っていた。

「副社長室なんか作業台とハンダごてがありますよ」育子が笑って教えてくれた。

「うちの課で納入しましたから」

「どうして？」博史が聞く。

「さあ、あの世代にはいちばんの玩具《おもちゃ》なんじゃないですか」

「そうか。研究所あがりだからね」

博史の会社は、経営陣の七割が研究所出身のエンジニアだった。これに対して背広組は常に不満を抱いていた。物造りが社の基本としても、売ってきたのは背広組なのだ。

「うちの会社は、研究所あがりが社長をやってるうちはナンバーツーだね」

営業にいたときの、定番の愚痴がつい出てしまった。

「『いいものを造れば売れる』なんて、消費者を知らないんだよ。そんなことを言ってるから規格競争で負けるのさ。数の論理っていうのがまったくわかってない」

部下たちが反応に困っている。おっと。我にかえり、続きをやめた。もう営業部の飲み会ではない。昨日までなら経営陣の悪口で大いに盛りあがるところだ。総務は、研究所にも背広組にも属さない中立の立場にある。というより蚊帳《かや》の外かもしれない。研究所は対抗意識を向ける相手ではないのだ。

仕方がないので、またサウナの話に戻した。

「バスローブは帝国ホテルに注文を出したんですよ」

育子の打ち明け話に博史は苦笑した。

そろそろお開きという段になり、中山から一人の男を紹介された。

そういえばさっきから隣のテーブルで中山と話していた。酒のせいで気にも留めなかった。

「松田商店の松田さんです」中山の紹介で、小太りの五十がらみの男が深々と頭を下げた。よくわからないまま博史も会釈する。

「購買部の運営を委託している会社の社長さんです」

「いえ、社長だなんて。従業員五人の吹けば飛ぶような個人商店ですから」

松田という男が懸命にかぶりを振っている。まだ事情がつかめなかった。

それを察してか、育子が横から口をはさんだ。

「課長、社員専用口の横に購買部があるでしょ。そこをお任せしている会社ですよ」

ああ、あったな。そういうの――。博史がぼんやりと思う。たまに週刊誌を買うコンビニのような所だ。それ以外はまるで印象がなかった。どこかの業者が入っているとか、総務の管轄であるとか、考えたこともなかった。

「ええと、偶然、ここで会ったわけですか」と博史。

「わたしが呼びました」中山が答えた。「松田さんが、新しい課長さんに早急に挨拶をしたいとおっしゃってたんで」

「前任者の安藤さんにはお世話になりまして」松田が揉《も》み手《で》をしながらにじり寄ってきた。

「今後ともどうぞよろしくお願いします」握手を求められ、疑問もなく応じてしまう。

部下たちはニヤついていた。「ほら社長。肩ぐらい揉まないと」若い藤井がからかう。

よくはわからないが、出入りの業者が新任の担当者に挨拶に来たのだろう。珍しい話ではない。

最後の乾杯をし、解散することになった。帰り支度をする。誰も財布を取りださなかった。ぞろぞろとレジを素通りする。

「ちょっと、会計は？」博史が誰とはなしに聞いた。

「わたくしがもたせていただきました」横で松田が慇懃《いんぎん》に腰を折った。

「いや、それはまずいでしょう」反射的に言いかえした。「だって、あなたは来たばかりだし……」

それより、部下たちが当然という体《てい》で勘定をもたせたことが気になった。習慣化しているのだ。

内輪の飲食会に業者を呼びだし、支払わせる。博史の好む行動ではなかった。

おれが払うよ――。つい言いそうになる。

「じゃあ、わたしは地下鉄ですから」と育子。

「終電ギリギリなんで、ぼくはここで」藤井は走り去っていった。

それぞれが散っていき、中山と松田と博史がその場に残された。

「どうですか。軽くもう一杯」松田が盃を傾ける仕草をする。

「いや、わたしはこれで」辞退した。初日から深酒はしたくない。

「じゃあタクシーを停めましょう」松田が通りに出てタクシーを確保した。促されて乗りこみ、運転手に行き先を告げる。

「恩蔵さん。これ、些少《さしょう》ですがお車代に」松田が封筒を差しだした。

「いや、だめですよ」あわてて辞退した。封筒が膝《ひざ》に置かれる。

「運転手さん、お願いします」松田は自分でドアを閉めた。逃げるようにこの場を離れていく。

呆気にとられているうちにタクシーは発進した。封筒の中をのぞく。一万円札が少しばかりの厚みで重なっていた。

なんだこれは？　数えると十万円あった。

明日、中山を通じて返そう。理由のない金を受けとるわけにはいかない。

シートに深くもたれ、大きく息をつく。新しい職場はどうも勝手がちがうようだ。


零時過ぎに帰宅すると、妻の幸子《さちこ》が台所でパソコンに向かっていた。

「何してるの？」ネクタイを緩めながら、うしろからのぞきこむ。

「リサイクルのチラシを作ってるの」幸子は画面を見たまま答えた。

「ふうん」そういえば、幸子は地域のリサイクル会の幹事役を務めていた。区には団体登録してあり、活動補助金も出ると言っていた。

「公園の横にマンションが出来たじゃない。あそこ、単身者が多いから、ゴミの出し方とかむちゃくちゃなのよね」

「そう」とくに感想はない。冷蔵庫を開け、ミネラルウォーターを飲んだ。

「今度の日曜日、エコボックスの設置に回るから手伝ってね」

「えーっ」思わず声をあげる。

「運転してくれる人が必要なの。いいじゃない、もう接待ゴルフからは解放されたんでしょ」

「まあ、そうだけど」渋々承諾した。

下の娘が中学に上がったので、幸子は子育てが一段落した気分なのだろう。ここ最近は地域活動に熱心で、外出も多くなった。

「物置のギター、リサイクルに出してもいい？」

「だめだよ」目を剝《む》き、即座に抗議した。「マーチンD18だぞ。名器だぞ」

「三年以上、触ってないくせに」幸子が冷ややかな口調で言う。

博史は台所を出て、風呂場に向かった。

総務に移って時間もできるだろうし、少しいじってみるか。

イーグルスの「テイク・イット・イージー」をハミングする。

二十代のころは、忘年会になればギターの腕前を披露していたのだ。

翌朝、中山を机に呼び寄せ、封筒を手渡した。

「松田さんに返しておいてください」

中山は困った顔になり、「収めた方がいいですよ。わたしは誰にも口外しません
し」とまるで松田商店側の人間のようなことを言った。

「そういう問題じゃなくて。わけのわからない金は受けとれません」

「ただの新任祝いですよ。賄賂《わいろ》とか、そういうのじゃ……」

「とにかく返しておいてください」

毅然と言い、退かせた。

きっと前任者はもらっていたんだろうな。そう思い、吐息を漏らした。

十万円ぽっちで汚点を残したくはない。自分は局長になる男なのだ。

博史は椅子を回転させ、窓の外に目をやった。東の方角に、幕張《まくはり》メッセの高層ビル
群がはっきり見えるのに驚いた。

2

総務部第四課の仕事は、主に本社勤務社員の福利厚生と備品の調達だった。「コピー用紙がない」などという苦情が現場から来ると、つい「自分で買ってこい」と怒鳴りつけそうになる。電話に出たのが博史と知り、恐縮して取りに来るかつての部下もいた。

社内にある食堂、喫茶室、購買部は四課の担当だった。

購買部には松田商店が新社屋完成以来入っていて、どうやら会社とは古い付き合いらしい。

「契約はどうなってるの?」気になって尋ねると、中山からは「とくに、そういうのは……」とあやふやな答えが返ってきた。

「契約書がないわけ?」

信じられなかった。ビルの一階の、二百平米ものスペースを貸しているのである。

通常ならば、社屋完成時に業者を入札で選び、以後は更新手続きを取るはずだ。

経理上のことならコンピュータでわかると思い、自分で検索してみた。

松田商店が会社に支払っている家賃は、常識とは大きく異なる安い金額だった。

「市価より安く売ってもらっているわけですから、妥当とは思いますが」というのが中山の説明だ。

「しかしもう十年以上、見直しもないのは変でしょう」

博史がその他のコストを調べようとしたら、中山が横へ椅子を持ってきて、浅く腰かけた。小さく咳払《せきばら》いする。

「松田商店は、元々この土地の酒屋さんだったんですよね」指で下を差していた。

「地上げの際、新社屋に購買部として入ることで立ち退いてもらってるんです」

博史がうなずく。しかしそれが契約書もない理由にはならない。

「だったら新たに契約書を作りましょう。何か問題が生じたとき、契約書がないのはまずいですよ。それから、立ち退きは相応の対価を支払った上での商取引ですから、義理人情を絡ませる必要はありません。大事なのは、うちの会社にとってもっとも利益になる業者がどこかということです」

中山は口を真一文字に結ぶと、しばらく黙りこみ、そののちぽつりと言った。

「今度一席設けますので、松田さんと意見交換をしましょう。新橋の料亭あたりでどうですか」

「いや。話は昼間、会議室で」

「営業出身の課長が……」

「もうそういう時代じゃないですよ」静かな目でかぶりを振った。「それにわたしは億単位の商談をしてきたわけで、交渉はひたすら条件のぶつけ合いです」

「そりゃあ、営業のエリートだった課長からすれば、屁《へ》みたいな話かもしれませんがね」中山がいじけたようなことを言う。

「ところで、十万円は返していただけましたか」

「いえ、まだです」

「一階へ行けばいるわけでしょう、松田さんは」

「……はい」

中山は目を合わせないで会釈すると、そのまま部屋から出ていった。

言い方がきつかったかな。少し後悔する。二年は長丁場だ。威圧的な態度は得策ではないかもしれない。

いや、言うことは言うべきだ。契約書が不在だなんて、この規模の会社であってはならない。

博史は引き続きパソコンで、四課が管理している経費を調べていった。

不明点は育子や藤井に聞く。二人とも協力はしてくれたが、あまり気乗りしない様子だった。

「トイレットペーパーを納入してるのも松田商店か。それはいいとしても、どうして毎年同じ請求額なんだ」

「同じ量を納品させてますから」育子が説明する。

「きっちり同じ消費量だとでも言うのか」

「定期的に補充するシステムなので、供給量が同じだということです。足りなくなってからでは遅いんです」

「余剰分はどうなってる。腐るもんでもなし、翌年に繰り越せばいいだろう」

「余剰分はありません」

「そんな馬鹿な」博史は顔をしかめた。画面をスクロールしていく。「この紅茶パック二千ケースってのはなんだ。おれは五階にいたとき、会社支給の紅茶なんか飲んだことがなかったぞ」

「食堂に収めている紅茶です」

「そんなもの、食堂の業者が自前で用意すればいいだろう。どうしてうちが松田商店から買うんだ」

「さあ、それはわたしに聞かれても」育子が下唇を剝いた。

「藤井。答えろ」

「そっちの方が美味《おい》しいんじゃないですかねえ」

「ふざけるな」つい声を荒らげる。

隅の席の愛子と目が合い、上の食堂から紅茶パックを持ってこさせた。果たしてそれはどこにでもある市販の品だった。仕入れ値が妥当であるかはすぐ調べがつく。

愛子に紅茶をいれてもらい、カップに口をつけた。机に両肘をつく。

四課はかなりいい加減な部署のようだ。不明瞭な点が多すぎる。

博史は深くため息をついた。さて、どうするべきか——。

その日の夕方、帰ろうとする藤井をエレベーターホールで捕まえた。

「今夜付き合え。鮨《すし》でも食いに行こうぜ」乱暴に背中をたたく。

「いや、今夜は……」

「ガタガタ言うな。築地にいい店があるんだ。おれが奢《おご》ってやる」

強引に腕をとった。藤井には体育会系のノリでいくことにした。性格は明るそうだ。部内に一人は味方がほしい。

道々話を聞くと、藤井は新婚で、夕食は家でとる約束をしているらしい。ケータイで新妻に電話をさせ、横から「藤井君をちょっと借ります」とおどけて断った。

藤井は入社して八年。横浜支社の国内営業部が最初の配属で、その後本社総務に異動してきた。

「なんだ、最初は営業か。だったらまた戻りたいだろう」

「ええ、まあ」頭をかいている。

鮨屋では座敷で向かい合い、熱燗《あつかん》をやりながら刺し身をつついた。

「松田商店と四課、ずいぶんな癒着《ゆちやく》ぶりだな」いきなり言ってやった。「課長は代々、黙認してきたわけか」

藤井は上目遣いに博史を見ている。言葉を探している様子だ。

「備品の余剰分は早い話が行方不明だ。おれは松田商店が買い戻してると踏んでるんだがな。その分は家賃を安くすることで補填《ほてん》している。ちがうか」

「ええと、当たりです」藤井はあっさり認めた。「どうせ調べればわかるし、ぼくらとしては、恩蔵課長が話のわかる人だといいな、と」

「ふん」博史は鼻で笑った。「おれは堅物じゃあないよ。でもな、悪いがおれは江戸っ子だ。しみったれた真似が死ぬほど嫌いなんだよ」

「まあ、五階から来た人には、実にしみったれた世界だと思いますけど」

「裏金作りは伝統か」

「ぼくが来たときはすでに……」

「年間いくらで何に遣ってる」

「勘弁してくださいよ。課長は腰かけでしょうけど、ぼくは……」

「引っぱってやるぞ。おまえにやる気があるのなら」

「はい？」藤井が鶏のように首をひょいと出す。

「二年後に部長として五階に戻る。そのとき一緒に連れてってやる」

「ほんとですか」

「それくらいの力はあるさ。ただし五階は熾烈《しれつ》な競争社会だがな」

「ぼくで通用しますかねえ」

「知るか。その若さでずっと総務にいたいならそうしろ」

藤井が黙った。握りが漆《うるし》の器に載って運ばれてくる。「ほれ、食え」博史が顎《あご》をしゃくり、しばらく二人で鮨をつまんだ。

「言っておきますけど、四課だけじゃないですよ」藤井がぽつりと言った。「一課なんかはＯＡ機器を受けもってるから、研修と称して業者からハワイ旅行に招待されてるし、二課は女子の制服担当だから、スーツは全員ただで作ってもらってるし」

「うちのことだけでいい」

「……年間、二百ぐらいじゃないですか。ボーナス期に商品券にして配ってます」

「四課がやってるのは、接待とは種類がちがうことだから勘違いするな」博史は藤井を睨《にら》みつけた。「業者からのリベートでもない。要するに横領だ。会社の金を不正にプールして、私腹を肥やしてるわけだ」

「そんな大袈裟な」藤井が顔を歪める。

「部長は何をしている」

「黙認です。課のことは課に任せてます。だいいち今の部長、新社屋建設のとき、窓のブラインド選定で業者からアコードワゴンを贈られた人ですから」

「何をやってるんだ、総務は。おれたちが外で戦ってるときに」博史が吐き捨てた。「製造だって一円のコストダウンに必死なんだぞ。研究所にしたって、血を吐く努力で新製品を生みだしてんだぞ。おれたちは、それを世界中に売ってきたんだ」

言っているうちに、無性に腹が立った。金を稼いでいるのは自分たちだ。このビルを建てたのだって自分たちだ。

「でも、全体としては真面目に働いてるわけですから」藤井は不服そうだ。

「ひと暴れしてやろうか」凄《すご》むように言った。

「はい？」

「おれが引っ掻きまわしてやろうか。こう見えても可愛がってもらってる役員の一人や二人、いるんだぞ」

「やめた方がいいですよ。女房と総務は敵にまわすなって言うじゃありませんか」

「いったい誰の言葉だ」つばきがテーブルに飛んだ。

藤井は、研究所や背広組を非難するようなことも言った。

「なんかエラソーなんですよね。この会社は自分たちが主役だみたいな顔して」

「それはひがみだ」

「恩蔵課長だって、さっき、『おれたちが外で戦ってるとき』なんて言い方するし」

「それは言葉のあや」

「今の自分は総務部なのに、そう思ってないみたいだし」

「いや、それはね……」ややトーンダウンした。

十時まで飲んで、店を後にした。奥さんのために折り詰めを藤井に持たせた。

「ぼく、五階で通用しますかね」酔った藤井は何度かその言葉を口にした。

「やれるさ」励ました方がいいと判断して、博史はそう答えた。

むずかしいかな、とも正直思った。仕事のできない奴は、簡単に無視される世界だ。助け合いはまったくない。


家に帰ると、幸子がまたパソコンに向かっていた。

どこかのサイトに書きこみをしている。

「またリサイクル？」

「『また』とはなによ」無愛想に返事された。

居間のソファに深くもたれ、伸びをし、足をテーブルに乗せる。「ねえ、コーヒーが飲みたいな」台所の幸子に声をあげた。

「自分でいれてよ」振り向きもしない。

「サッちゃんのいれたテイスティーなコーヒーが飲みたいな」甘えた声で言った。

「だーめ」相手にされない。

仕方がないので自分で台所へ行き、薬缶《やかん》をコンロにかけた。

「コーヒーはどこ？」

「レンジ台の下」

探しだし、缶を開けると一杯分も残っていなかった。

「ないじゃん。コーヒー」

「あ、そう。じゃあ紅茶にしたら」

「あのねえ」少し腹が立った。「コーヒーぐらいちゃんと買い置きしておきなよ。おれは今、ノンシュガーのビターなコーヒーが飲みたい気分だったの。紅茶なんかじゃ――」

「ねえ、あなた」幸子が顔を上げた。「ドイツへ行きたいんだけど」

「ドイツ？」すぐには答えが出てこない。

「ドイツっていちばんのエコロジー先進国なの。ゴミの再利用とか、温暖化防止策とか、市民の意識も高くて、いろんな国のお手本になってるの。リサイクル団体が企画した見学ツアーがあって、わたし、参加しようかなって。それくらいのヘソクリあるし」

「いつの話よ」

「来月、二週間の日程」

目を丸くした。「だめだよ、そんなの」反射的に言ってしまった。理解ある夫でいたいという気持ちはあるのだが。

「どうしてだめなの」幸子がパソコンの手を止め、向き直った。真顔だった。

「だって……」博史が口ごもる。「その間、飯とか洗濯とか、どうするんだよ」最後は消えいりそうな声になった。

「あなたと貴史と美幸の三人で、協力してやってくれるといいなとは思ってるんだけど」

「おれは毎日会社だぜ」

「家事をしたくないのなら、家政婦を雇うっていう手もあるけど」

「やだよ。朝起きたら知らないオバサンが台所に立ってるなんて」

しばし沈黙が流れる。幸子が両手で髪をひっつめ、大きく息をついた。

「じゃあ、わたしは、この先ずっと海外旅行には行けないわけだ」目を赤くして言った。「たった二週間、家事から解放されることもできないんだ」

「今度、ハワイにでも連れてってやるよ。美幸も行きたがってたし」

「何それ。どうしてハワイなのよ。わたしはドイツへ行きたいって言ってるのに」幸子が色をなす。「それに『連れてってやる』って何よ。自分の意志でどうして行けないわけ」

「いや、そのね」博史はしどろもどろになった。

「自分ばっかり好きなように家を空けて、世界を股《また》にかけるビジネスマン気取りで、それでいて女房は家にいろって？　身勝手。サイテー」

「いや、つまり、二週間っていうのは長いかなって……」

「あなたは二ヵ月だって平気で空けてたじゃない」

「じゃあいい、行っていい」これ以上怒らせるのはまずいと思った。「ドイツでリサイクル見学、どうぞしてきてよ」

「行きますよ。行きますとも。でもね――」幸子の目には涙が滲《にじ》んでいた。「ケチついた。すっごくケチついた。もっと気持ちよく送りだしてほしかった」

また沈黙が流れる。掛け時計の秒針の音がやけに大きく聞こえ、外ではどこかの犬が夜空に向かって遠吠えしていた。

博史は鼻をひとつすすると、「風呂、入るわ」と台所をあとにした。

ため息をつく。自分ばっかり、か。

きっと世の女房族は、亭主が外でいい目を見ていると思いこんでいるにちがいない。

そんなことないぞ。外は大変なんだぞ。

大きなくしゃみが出た。静まった廊下に響いていた。

3

愛子と二人でランチを食べた。

午後一時を回ってから最上階の食堂へ行くと、愛子が一人でパスタを口に運んでいたので、「ここ、いい？」と同じテーブルについたのだ。

博史が日替りランチを注文する。「ランチプレートも松田商店ですよ」愛子が笑いながら教えてくれた。

「松田商店の社長は、しょっちゅう四課に出入りしてるわけ？」

「前はそうでしたけど、恩蔵さんが課長になってからは来なくなりました」

「嫌われてんだ」

「怖がってるんですよ。松田社長だけでなく、中山さんも、白井さんも、ほかの課の人たちも」

「ほかの課も？」

「そうですよ。四課に嵐が吹いたら、自分たちのところも何か飛んでくるんじゃないかって」

「ふうん」苦笑した。「黒船扱いだね、光栄だよ」

ランチが運ばれてくる。愛子と談笑しつつ食べていると、以前の部下が博史を見つけ、駆け寄ってきた。

「恩蔵さん。東通商が例の銀座ショールームの件でアヤつけてきたんですけど。恩蔵さんからひとこと言ってやってもらえませんか」

「ばーか。現在おれは総務部の課長だ。おまえらでやれ」空揚げを頰《ほお》ばりながら、ぞんざいに返事した。

「そんなこと言わないでください。五年プロジェクトですよ。恩蔵さんが戻ってきたとき、まだ続いてるんですよ」

「だめだ。おれが出ていったら、今の課長の顔を潰すだろう。少しは考えろ」

ついでに服装について説教してやった。気障《きざ》なネクタイをしていたのだ。部下が渋い顔で去っていく。愛子は尊敬の眼差しで博史を見ていた。

「やっぱり課長、うちのフロアの人たちとは種類がちがいますよね」

「人を上野動物園のパンダみたいに……」眉を寄せるものの満更でもなかった。

「同期の子たちと話すんですよ。どの部署の人がかっこいいかって」愛子はデザートにプリンを食べていた。「研究所の人はオタクっぽいし、製造局の人はクソ真面目な感じがするし、やっぱり営業局かなあって。海外事業部もマーケティング部もあるし」

「我が総務部はどうなんだ」

「ランキング外ですよ。だいいち二十代の男の人、ほとんどいないじゃないですか」

そういえばそうだ。三十歳の藤井がいちばんの若手だ。配属を希望する二十代がいないのだから、当然なのだが。

「今度、五階の若手をまとめて紹介してやるよ」

「えーっ、ほんとですか。だったらこっちも人数揃《そろ》えます」

愛子が今日いちばん眼を輝かせた。

昼食を終えると、博史は一階へ降り、購買部をのぞいた。品揃えはコンビニと同じだ。社長の書いた本が平積みされているのが他とちがうぐらいか。

博史に気づいた松田が、腰を低くして近寄ってきた。

「恩蔵課長、必要なものがあったら電話でおっしゃってください。うちの従業員に上まで届けさせますので」

額に汗を浮かべていた。顎《あご》の肉がゆさゆさと揺れている。

「松田さんのところは、ほかでも店をやってるわけですか」と博史。

「ええ。五百メートルほど先でコンビニをやらせていただいてますが、それはもう小さな店で。へっへっへ」

揉み手をしながら卑屈に笑う。レジに目をやったら女房らしき二重顎の女がいた。取ってつけたように笑って会釈する。似合いの夫婦だと思った。

「初めて気づいたけど、やけにお菓子が種類豊富ですね」

「女子社員のみなさんに好評をいただいてますので」

「ケーキまであるんだ」

「はい。衛生上は万全の注意を払っておりますので」

まあいいか。口の中でつぶやく。購買部本来の姿とはいえないが、目くじらをたてるほどのものではない。

ただ、ディスプレイが雑然としているのが気になった。床も汚い。やはり競争がないからだろう。身内相手だからいいというわけはない。トイレがきれいな会社は仕事もちゃんとしている。購買部だってそれと同じだ。

ふと、キヨスクでよく買う栄養ドリンクを見つけた。値札を見るとキヨスクと同じだった。決して安くはないのだ。

「松田さん」博史が言った。「うちの中山から聞いてると思いますが、契約書、やっぱり作成しましょう」

それがいいと思った。権力をふりかざす気はない。常識的に考えて、そうするべきなのだ。世界に冠たるグローバル企業で、こんな杜撰《ずさん》な管理があってはならない。

「法務と相談して、たたき台を作ります。あちこちの支社や工場にも購買部はあるわけだし、それらを参考にすれば一両日中にでも——」

松田の表情がみるみる曇った。しかしそれは、松田がこれまでいいように甘い汁を吸ってきた証しだ。

踵《きびす》をかえし、購買部を出た。エレベーターに乗り、階を示すランプを見ていた。四課だけでなく総務部全体の反目を買うことだろう。藤井や愛子だって、商品券を奪われたら面白くないはずだ。

かまやしない。自分はそうやって生きてきた。インチキは嫌いなのだ。

法務部に契約書の作成を依頼すると、たちまち部内にこの件が知れ渡った。と同時に、いろいろな噂が博史の耳に入ってきた。

「前任者の安藤さんが激怒している」

「前任者の安藤さんが青くなっている」

「歴代の課長の中に、現在の資材担当役員がいて、失脚の恐れあり」

「恩蔵は総会屋と仲がいいらしい」

馬鹿馬鹿しくて相手をする気にもなれなかった。なんてスケールの小さい連中なのか。会社がビジネスの最前線で直面している問題に比べれば、あまりに卑小な出来事だ。象の糞にたかる蠅《はえ》のようなものだと思った。

中山は硬い表情で仕事をこなしていた。育子はよそよそしい。藤井は博史の顔色をうかがい、愛子は呑気に合コンの催促をしてきた。

そして法務から雛型《ひながた》が上がってきたとき、次長から声がかかった。

「どうだ。一杯やらんか。君とはちゃんと話もしたいしな」

もちろん懐柔《かいじゅう》にきているのだとすぐにわかった。

「お話でしたら会議室でうかがいますが」

「まあ、そうとんがるなよ」

次長が白い歯を見せる。しかし博史は乗らなかった。今は上司かもしれないが、二年後は利害がなくなる。はっきりいって総務部次長など、博史からすれば小物なのだ。

「会議室で、ロジカルに話しましょう」静かな目で言うと、次長は「海外経験者はやっぱりちがうね」と顔を少し赤くした。

会議室の大きな円卓に九十度の角度で向き合う。「まさか、契約書はいらない、なんておっしゃるんじゃないでしょうね」博史は先手を取って言ってやった。

「そうは言わんさ」白髪混じりの頭をかいている。「君は正しい。だから、理屈で来られるとグウの音も出ない。でもな、世の中、杓子定規《しやくしじようぎ》には行かんところがあるだろう」

「わかりますよ。恩義があったり、貸し借りがあったり、伝統があったり。それもビジネスのうちです。でも、うちが松田商店と社友のような関係である必要はないでしょう」

「そりゃそうだが、長く続くと、いろいろあるんだよ」

「いろいろとは？」

「いろいろは、いろいろさ」次長がたばこをくわえた。

「商品券、次長のところにも届けられてるわけだ」

百円ライターで火を点《つ》ける。「言っとくがそれは中元と歳暮だぞ。社会通念上、認められる範囲だ」煙と一緒に言葉を吐いた。

「ただみたいな家賃の引き換えでしょう。会社に入るべき金を総務と松田商店で分け合っている。ぼくにはそうとしか思えないんですけどね」

「なあ、恩蔵君」次長が身を乗りだした。「大勢に影響ないじゃないか。資材部が納入先に二重の請求書を書かせたとか、研究所が架空研究の費用をせしめたとか、そういうのなら大問題だぞ。でもな、ぶっちゃけた話、どこにでもある些細《ささい》な役得で、それもおれらは受け継いだだけだ。初めに画策した人はとっくに定年で、もう誰かもわからない。前任者も、中山君も、総務に来てからその慣習を知り、流れに身を任せたんだ。頼む。君も一緒に流されてはくれんか」

次長がテーブルに手をつき頭を下げた。

「やめてください。そんな真似は」

「一人だけ流れに逆らうことはないだろう」

「悪い慣習ならさっさと改めましょうよ。簡単なことです。松田商店と契約を結び、適切な賃料を課して、公明正大な商取引をすればいい」

「だから杓子定規には——」顔を歪めている。

「杓子定規にやるのがビジネスです」

「君は二年後にはいなくなる人間だろう。だったら無理に波風を立てる必要はないじゃないか」

「二年間、遊んでるわけじゃない。会社のためによかれと思ったことはやります」

「営業に帰ったあと、うちとしこりが残るぞ」

　その言い草にはかちんときた。逆恨みを正当化する気か。

「不正はどんなに長く続いても既得権にはならない。勘違いをなさらないように」

「不正という言い方をするな」

「じゃあなんですか」

「さっきから言ってるだろう。慣習だ」

　博史は大きく息を吐いた。椅子の背もたれを軋《きし》ませ、天井を見た。てのひらで顔をこすった。

「君がどうしてもやるというのならあきらめる。君は正しいし、理屈では反論のしようがない」次長が立ちあがって言った。「ただその場合、過ぎたことは勘弁してやってくれ。前任者の安藤、気の小さい奴だから、夜も眠れないらしくてな」背中を丸め、ドアに向かって歩いていく。

　哀れをもよおす。自分も勘弁してくれと言っているのだろう。

会議室の窓から外の景色を見た。南の空の下、横浜ベイブリッジの巨大な橋脚が威風堂々とそびえ立っていた。

慣習か——。ひとりごとを言ってみた。

「会社の金」にまつわる逸話ならいくらだってある。パソコン部門を立ちあげた開発主査は、三千万の裏金を作り、部下五十人を引き連れラスベガスで豪遊した。それを知った当時の社長は腹を抱えて笑ったという。

欧州工場を作ったマネージャーは、交際費を湯水のように遣い、ついにはパリ社交界に名を連ねるまでになった。その男が現在の常務だ。

金は遣い方が問題なのだ。人間の器を問われるのだ。

翻《ひるがえ》って今の総務はなんだ。小さな個人商店と結託して、わずかな金を着服してるにすぎない。不正までせこい。このせこさが自分には耐えられないのだ。

やはり看過はしない。

自分は出自がちがう。この環境に染まることはない。

テーブルに腰かけた。そのままうしろに転がり、円卓の上で大の字になった。

大きな窓からは冬の日差しがさんさんと降り注いでいた。

日曜日、妻のリサイクル活動に付き合った。

ドイツ行きの件で気まずい思いをしたので、機嫌を直してもらいたかったのだ。

地域センターの一室で、主婦たちに混じって牛乳パックの開封作業をした。男も数人いた。いかにもエコロジー好きといった感じのヤサ男たちだ。

「恩蔵さんのご主人の会社では、緑化対策って何かなされてるんですか」主婦の一人に聞かれた。

「ええと」博史が口ごもる。確か総務部第七課が環境対策の仕事をしていたはずだ。でも知らない。「何かしてるとは思います。すいません、勉強不足で」

「うちの人、ずっとお金儲け専門だったから」幸子がからかう調子で言った。

「ひどいな」博史が照れて笑う。

「工場の屋根を簡単な草地にするだけで、その地域の温度が一度は下がるそうですよ」

「ほう、そうですか」感心するふりをした。

「ドイツなんかは、オフィスビルでも屋上は庭園にしてるんですよ」

「なるほど」うなずいてみせる。

「それよりぼくは、製品の修理をちゃんとやってもらいたいな」口を開いたのは、薄い顎鬚《あごひげ》を生やした、ヤギを想起させる男だった。「この前テレビを修理に出そうとしたら、べらぼうな見積りを出されてね、『買った方が安い』って電器屋の人に言われて。確か恩蔵さんの会社のテレビだったな」

「ああ、そうですか。すいません」眉を寄せて頭を下げる。むろんむっとした。

「それから方式を新しくして、旧製品を使いものにならなくするのはやめてもらいたいな。まだ使えるのにもったいなくて」

「でも、そうやって科学は進歩するわけですから」と博史。

「進歩って何ですかねえ」

「はい？」

「進歩って幸福なことなんですかねえ」男は目を瞬かせつつ言った。「ぼくは、昔の方が幸福だった気もするんですけどねえ」

「はあ……」

「人が機械の奴隷になっちゃいけないと思うんですよね」

警戒心がふくらんだ。きっとこいつはフリーライターとか、珈琲《コーヒー》屋のマスターとか、そういう類いの奴だ。

「人を幸福にしてこその技術であり、本来あるべき進歩だと思うんです」

「ええ、まあそうでしょうけど」面倒と思いつつ、一応反論もする。「電気炊飯器ができて主婦は家事から解放されたわけだし。冷蔵庫ができて食中毒が激減したのも事実だし」

「じゃあそこまででいいです」男が博史に向き直って言った。「この先はいらない。新製品はいらない」

馬鹿かこの男は。さすがに腹が立った。

「新製品はいらないって、それだと経済が成り立たないじゃないですか」

「経済って何ですかねえ」また目をパチパチさせている。「人を幸福にするものですかねえ」

いい歳をしてなにを寝言を。見たところもう四十過ぎだろう。

「あのね、あなたの言うとおりにしたら、この国の半数は失業者になりますよ」

「じゃあ田を耕せばいい」

「平地が少ないから工業国になったんでしょう」つい声が大きくなる。

「じゃあ海で魚を獲《と》ればいい」

「馬鹿か、あんたは」言ってしまった。

「あっ、恩蔵さん、馬鹿って言いましたね」男が目を丸くした。

「言ったがどうした」

「馬鹿はあなたです」

「この野郎。おれを誰だと思ってやがる」博史が腰を浮かせる。

「ちょっと、あなた」幸子に腕をとられた。

「離せ。亭主の仕事が侮辱されてんだぞ。おまえは黙ってるのか」声が部屋中に響いた。

「とにかく外へ」

力いっぱい引っぱられる。みんなが作業の手を止め、博史を見ていた。なんだ、おまえら、本当は暇でやることがないんだろう——。

荒い息を吐きながら建物の外へ出ると、そのまま車に押しこまれた。幸子がハンドルを握り、紺色のボルボは発進した。

車の中で、今度は夫婦の言い合いが始まる。

「なんだあの野郎は」博史が声を荒らげた。

「ちょっと癖があるけど、悪い人じゃないの」幸子がなだめようとする。

「仕事は何やってんだ」

「フリーライターだけど」

「ほらみろ」大声をあげた。

「なんのことよ」

「冗談じゃねえぞ。あのヤギ野郎」

「落ち着いてよ」

ふと博史が思いつく。「もしかしてあいつもドイツに行くのか」

「行くわよ」

「許さん」怒鳴りつけた。

「なによ、『許さん』って」幸子が色をなした。「どうして、あなたに止める権利があるのよ」

「とにかく許さん」

ダッシュボードを蹴った。ドアを肘でたたいた。

「やめなさいよ、壊れるでしょう」

「うるさいっ」

怒りの感情が次々と溢れてきた。どいつもこいつも――。

博史は奥歯を嚙みしめ、しばらく荒い鼻息をはいていた。

4

次長の次は部長がやってきた。

そんな気はしていた。ブラインド業者からアコードワゴンをせしめたとかいう男だ。

今度は、中華レストランの個室でランチをとりながら話した。

「まあ、そう怖い顔をするな」にやけた顔で言う。懐柔策が丸わかりの、なれなれしい態度だった。

ビールを勝手に注文し、博史のコップに酌《しゃく》をした。仕方がないのでお返しをする。

「おれは商品企画からの落下傘《らっかさん》部長でな。総務の生え抜きじゃない。だから君の気持ちはよくわかる。世界を相手に大きな商売をしていたのが、途端に購買部の家賃だからな。誰だっていやになるさ」

「いやになんかなってませんよ。ただ、この手の癒着は世界規模の企業としてどうかと」

博史はビールを一杯だけ飲んだ。あとは脇にどけ、お茶をすする。

「会社全体は世界規模かもしれんが、枝葉はどこも同じだ。人間がやってることだ。すべてクリーンというわけにはいかない」

「汚れた部分は目をつむれと」

「汚れた部分かぁ。キツイなぁ」手で禿《は》げ頭をたたき、笑ってる。「なあ恩蔵君、こうやって考えてみろよ。乗用車のハンドルには遊びがある。それがないとレーシングカーになっちまう。ごく限られたドライバーしか運転できなくなる。会社もそうだ。君みたいな国立大出のエリートばかりじゃない。高卒で事務畑を地道に歩いてきた人間もいる。そういう連中にも、何かしらのハンドルを握らせないと組織は澱《よど》むんだ。おまえは一生洗車してろなんて言えるか？　どんな職種にも多少の役得は与えるべきなんだ」

「多少の役得ですか」目を伏せ、口の端を持ちあげた。

「そうだ。君が今まで得た役得を思い浮かべてみろ。会社の金でどれだけ海外に行った。ホテルに何泊した。何回ゴルフをして、何リットルの酒を飲んだ。うちの交際費はグループ全体で年間三十億だ。そのほとんどを君らが使ってるんだ」

「仕事ですよ。何を言ってるんですか」

「いいや、事務の人間からすれば君らは特権階級だ。会社の金を自由に使える貴族だ」

「貴族だなんて、大袈裟な。それに、行きたくもないゴルフだってあるわけですよ。休日を潰して、出勤扱いにもされないで」

「それでも内心は得意に思っているはずだ」いつの間にか、部長は真剣な表情になっていた。「選ばれた人間だと思っているはずだ」

「そんな、言いがかりですよ……」

博史が小さくかぶりを振る。だが、外れではない。何割かは当たってる。

「そこでな、恩蔵君」部長がいきなり口調を変えた。眉を八の字にした。「頼むから四課を見逃してやってくれ」テーブルに手をつき、頭をつけた。

「ちょっと、部長。やめてくださいよ」

「二年間、見て見ぬ振りをしてくれ」額をテーブルに擦《こす》りつけた。

「やめてください」あわてて立ちあがり、部長の横へ行った。「困ります」

「おれにできることはこれくらいだ。松田商店からの商品券が入らないと、役得がないのは四課だけになっちまう。バランスが崩れるんだ」

予想外の展開に度肝《どぎも》を抜かれた。博史が引っぱっても、部長は頭を上げようとしない。

「営業とはちがうんだ。毎日会社にいて、鬱屈《うつくつ》が溜まりやすいんだ。総務は女房だ。君は女房のヘソクリも認めないと言うのか」

「そんなこと言われても」

「家にいて家事だけやってろと言うのか」

「言ってないでしょう、そんなこと」

「認めないなら、土下座するぞ」

「やめてください。頼みます」

「おれは土下座ぐらい平気なんだ。部下を守るんだ。背広組のエリートから部下を守ってやるんだ」

「なんの話ですか」

部長が頭を下げ続ける。博史は途方に暮れ、床に尻餅《しりもち》をついた。頭がくらくらした。これが就職希望ナンバーワンの世界的企業の現実か？　我が目を疑いたくなる。

「土下座するぞーっ」叫んでる。

好きにしなさいよ——。体に力が入らない。足を投げだし、ついでに寝転がった。

盛大にため息をつく。何をする気も起きなくなった。

部長との会食の帰り、エレベーターで藤原局長と乗り合わせた。

「よお、恩蔵。羽根伸ばしてるか」そう言って白い歯を見せる。

「伸ばせませんよ、いろいろあって」博史は肩をすくめた。

「なんだ、浮かない顔して。問題でもあるのか」

「あるんですよ、問題は、どこの部署にも」

藤原が苦笑する。分厚い手を伸ばすと、博史の肩を揉んだ。

「恩蔵。何があるか知らんが、首なんか突っこむな。仕事しなくていいんだ、おまえは」

「またそんな……」

「おれはな、人事部長を酒に誘って、『いちばん暇な部署はどこだ』って聞いたんだ。そしたら総務の四課だっていうから、それでおまえを入れることにしたんだ。ゴルフクラブを磨いてりゃあいいんだ。出入りの業者に舶来品のウッドでも届けさせろ」

鼻に皺《しわ》を寄せ、無言で藤原を睨《にら》んだ。おかしそうに笑っている。

「変えようなんて思うな。いろいろ改革する点があったとしても、それはおまえの仕事じゃない。ああ、そうだ。台場《だいば》の出店計画だが、何かいいアイデアはないか」

「仕事しなくていいって――」

「ケチケチするな、アイデアぐらい」脇をつつかれた。

藤原は、五階につくと大股でエレベーターを降りていった。一秒が惜しいといった早足だ。

羨ましかった。最近の自分は、背を丸め、のそのそと社内を歩いている。

入れ替わりにかつての後輩が乗りこんできた。

「恩蔵さん、いいところで会った。海事《カイジ》の矢島、入院しました」耳元で言った。

「どうした。どこが悪い」一転して心に影が差した。

「急性胃潰瘍《いかいよう》です。常務が心配して自分の主治医に診《み》せたので、それ以上のことはないと思いますが」

「そうか。あいつ、一人でEUと交渉してたんだもんな」

「日赤病院です。恩蔵さんに会いたがってました。元気づけてやってください」

「よし、わかった」

後輩が別の階で降りていく。こうしてはいられない気になった。まったく、どうして会社は準幹部を二年も遊ばせるなんて無駄な人事をするのか。

四課に戻ると、中山が一人、真面目な顔つきでパソコンに向かっていた。うしろから何げなくのぞく。アダルトサイトだった。

吐息を漏らす。見なかったことにしたいので、足音を立てないように一旦バックし、大回りして自分の机についた。

中山は確か総務歴が二十年を越えているはずだ。三十歳前後で「総務向き」だとされ、そのまま会社の裏方仕事に就いてきた。この先も同様だろう。係長の名刺に「課長待遇」の文字が加わるぐらいで、それ以外の変化はない。会社の記憶に残ることなく、消えていくのだ。

机の上に書類が置かれていた。隣の課から回ってきた、社内美化運動の懸案書だった。椅子に腰かけ、ぺらぺらとめくる。読みにくくて説得力もない子供の作文だった。

またぞんざいな仕事を。五階なら張り倒されるところだ。書いた当人がすぐそばにいた。見ると、机で堂々と週刊誌を読んでいる。

「おいっ」よその課の人間なのに、怒鳴りつけていた。「就業時間中に雑誌なんか読んでんじゃねえ」

三十代前半とおぼしき男が弾かれたように身を起こし、博史を見た。

「仕事は自分で見つけるものだ。与えられるものじゃねえぞ」

「はあ……そうですね。えへへ」

頭をかき、卑屈に笑っている。ふつふつと怒りが込みあげてきた。

「この野郎、『えへへ』じゃねえだろう。矢島はなァ、プレッシャーで胃を壊してまで仕事をしたんだ。抜け目ないフランス人やイギリス人を相手に、必死に戦ってきたんだ。それがてめえと同じ基本給か」

「ええと、誰ですか、矢島って」男がキョトンとしている。

「うるせえっ。おれは、自前で生きようとしない奴が大っ嫌いなんだ。群れをなして、互いに甘え合って、ぬくぬくと生きてる奴が死ぬほど嫌いなんだ」

博史は立ちあがっていた。何事かと周囲の人間が博史を見つめている。たぶんかなりの大声だ。

「おれはな、さっきまでは見逃してもいいかって思ってたんだ。地味な仕事だし、報われることも少ないし、多少の不正も仕方がないかって、黙認する方向に気持ちが傾いてたんだ。でも、もう我慢できない。おれが粛清してやる。業者にたかってる奴はいまのうちに首を洗っとけ。前線で命を張って戦ってる連中のためにも、おれは後方で物資をちょろまかす奴を絶対に許さん」

派手につばきを飛ばしていた。いくらでも言葉が出てきた。

「なァにが『総務は女房』だ。だったら女房らしく亭主の心配をしろ。ヘソクリを作ることばっか考えてんじゃねえ。だいいちなァ、おまえらが思ってるほど外は楽しい世界じゃねえぞ。取引先に小馬鹿にされて、ヤケ酒飲んだことがあるか。入札に負けて、泣いたことがあるか。泣くんだぞ、大の大人が。わかるかこの辛さが」

「課長」腕を引っぱられた。いつの間にか藤井が隣に立っている。「まずいッスよ」

「何がまずいんだ」いっそう声を荒らげた。

藤井が目配せする。その方角を見る。フロアの入り口に、総務担当役員が立っていた。

腕組みをし、困った表情で、ドアの縁にもたれかかっていた。

さすがに我にかえった。熱かったものが、頭のてっぺんからゆっくり下っていく。

とうとう役員のお出ましか――。

ひらひらと手招きされた。博史はゆっくりと歩きだす。

役員室でまた懐柔されるのだろう。叱責かもしれないが。

もっとも博史には開き直りがあった。意地でも頭を下げる気はない。自分は正しいのだ。

家に着いたのは午後八時過ぎだった。総務担当役員から料亭に誘われたが、丁重に辞退した。一人になりたかった。「営業時代から君の噂はいろいろ聞いてたけどな」そう言って役員は苦笑いしていた。

「四課は君の課だ。いちいち口ははさまない。好きにしていい。ただし部全体には口を出すな。君は若いんだ。まだ会社のことがわかっていない」

反論はしなかった。博史は自分の至らなさを自覚している。筋を通すことにうるさすぎるし、人にもきびしいのだろう。

さて、どうしようか——。長いものに巻かれるか、我を通すか。

契約書はできている。あとは松田商店に突きつけるだけだ。

どうでもいいか——。ため息混じりにつぶやいた。

実のところ、博史はもうどうでもよくなっていた。軍隊を指揮していた将校が、自宅の家計簿に小言を言うようなものだ。大勢にはまったく影響がない。

自宅前に見慣れないワゴン車が停まっていた。どこの車だ？　訝《いぶか》りながら敷居をまたぐ。幸子が出てきて「お客様」とよそいきの声で言った。

「誰よ」

「松田さんって方」

心底いやになった。どうして家にまで。幸子が小声で話した。

「まだ帰ってませんって言ったら、『車の中で待ちます』って言うんだけど、まさかそれはできないから、客間に上がってもらったの」

「何を考えてるんだ、あの男は」

憮然《ぶぜん》とした表情で客間に行く。松田は畳の上で正座をしていた。反らせるように背筋を伸ばし、口を開く。

「会社ではお会いいただけないと思い、失礼を承知で参りました。恩蔵課長、何卒《なにとぞ》今後とも私共を購買部の指定業者としてお引き立ていただけますよう――」

畳に額を擦りつけた。

激しい脱力感に襲われる。自分とは根本的に住む世界も価値観もちがうのだ、ここ数日に出会った人々は。

「今、指定を打ちきられますと、売上はいっきに三分の一になってしまいまして、当店は大変な窮状に立たされます。恩蔵課長のお気に召しますよう、精一杯の改善をしてゆく所存でございますので、何卒――」

「いいかげんにしてくださいよ」博史は畳にあぐらをかいた。「誰が切るなんて言いましたか」

「えっ、でしたら今までどおり」松田が顔をあげ、眼を輝かせる。

「そうじゃない。契約書を交わして、適正な賃料を払ってもらうって言ってるんです」

「しかし、そうなりますと、盆暮れのご挨拶がおろそかになり……」

何が「ご挨拶」だ。商品券のことだろう。

「いりません。商品券なんていらないんです。その分が家賃になるわけだから、松田さんのところは行って来いでしょう。何をあわててるんですか」

「いや、恩蔵課長。一度始まったものを終わらせるのは、なかなか……」

「おれが『いらない』って言えばいらないの」

「それが、そうとも……」松田が口ごもっている。

「誰か商品券を継続しろとか言ったんですか」

松田は返事をしない。目を伏せ、唇をかんでいる。

「誰ですか。中山ですか。次長？　部長？　言ってください。口外しないから」

「その……全員から」

「なんだって」博史は声を荒らげた。

「今日、喫茶室に呼ばれまして、契約書を結んだとしても『なしにはできないだろう』と言われまして」

「あいつら――」拳《こぶし》を握る。その手が怒りで震えた。「もう許さん。粛清だ」

「いいえ、恩蔵課長。それをされますと当店の立場が」

「もう知るか、あんたのことなんか。さんざん甘い汁を吸ったんだ。諦めろ」

「ちょっと――」そのとき幸子が顔をのぞかせた。「子供に聞こえる」

「二階へ上げろ」

「怒鳴らないで。だいいちお客様の前で失礼でしょう」

「失礼な目に遭ってるのはおれだ」

「奥様にも何卒よろしくお願いいたします」なぜか幸子に頭を下げている。

「あ、いいえ。こちらこそ」つられて幸子も深々とお辞儀をした。

「松田さん、帰ってくれ。二度と来ないでくれ」博史は立ちあがり、玄関を顎でしゃくった。

「ねえ、あなた。そんな言い方はないでしょう、年上の人に向かって」幸子がたしなめる。

「おまえは関係ないだろう」博史は鼻息荒く言った。「台所に引っこんでろ」

「『台所に』って何よ」幸子が顔色を変えた。「女はずっと台所にいろって言うわけ」

「うるさい、話をややこしくするな」

「何よ、エラソーに。怒ってばかりいて。最近、いつもそうじゃない。自分だけ頭がいいみたいな顔して」

「頼むから消えてくれ。こっちは仕事の話をしてんだ」

「仕事で年上の人に土下座をさせるわけ」幸子が腰に手をあてて言った。

「勝手にやってんだよ、この人が」

「あなた、土下座できる？」

「何の話だ」

「聞いてるの。土下座できる？」

「できるわけねえだろう」

「じゃあ、この人はえらい」幸子が松田を指さした。「あなたができないことやってるんだからえらい」

「どういう理屈だ」

「あなたがお体裁屋《ていさいや》でいられるのは、いい大学を出て、いい会社に入って、きれいな女房をもらったからよ」

「きれいな女房？」

「あら、わたしブス？」

「そ、そ……」つい吃《ども》る。

「どこへ出ても気後れしないで済むから、人間が尊大になるのよ。この前、リサイクルの会の人と喧嘩《けんか》になったとき、あなた何て言ったと思う。『おれを誰だと思ってる』って。馬鹿みたい。会社じゃないのに」

「関係ない話をするんじゃない」

「どうせ会社でもそうやって威張ってるんでしょう。出入りの業者さんに頭を下げさせてるんでしょう」

「おい、幸子。それは誤解だぞ。おれはそういうのが嫌いだからルールに則《のつと》ってやろうとしてるんだ」博史が振り向く。「ねえ、松田さん。うちの女房に言ってやってください」

「ええ、それはもう、ご主人様には——」松田がまた畳に頭をつけた。

「いや、だから、それはしなくていいんだってば」

「ほら見なさい。この独裁者。弱い者いじめ。能力主義者」

「なんだと。前のふたつはともかく、能力主義者だと何が悪い」

「能力がない奴は家で雑巾がけしてろ、外で働くのはおれたち有能な人間だ、そうやって決めつけるのが能力主義者。あなたのことよ」

返答に詰まる。急に言葉が出てこない。頭の中が真っ白になった。

「ほーら、何とか言ってごらん」幸子が顎を突きだした。

言いたいことは山ほどあるのに、言葉が見つからない。

「やさしくないのよ。思いやりがないのよ。自分がもしも無能な男だったらどんな人生を送ってただろう、なんて想像したこともないのよ」

自分としたことが、なんてことだ。何人もの交渉相手を言い負かしてきたというのに、今に限って思考がまとまらない。

松田が口を半開きにして、博史を見上げている。

幸子が胸を反らし、博史を睨みつけている。

ああ、そうか――。うまく回らない頭でうっすらと思った。本能がやめておけと言っている。総務と女房に勝ってはいけない、と。

「風呂、入るわ」ぼそりと言って、客間を出た。

「なによ、いきなり」幸子が眉をひそめている。「ねえ、お客さんは」

返事をせず、廊下を歩いた。

首を左右に曲げる。肩が凝っているのがわかり、今日は湯船に長く浸かろうと思った。

翌日、部長に「一切を白紙に戻す」と告げた。

「二年間、らくをさせてもらいます」博史は淡々と言い、軽く頭を下げた。

部長はまるで花でも咲いたかのような表情になり、握手を求めてきた。「ありがとう。君は真心が通じる男だと信じていた」力いっぱい揺すられた。「ありがとう、ありがとう」声が震えていた。

噂はその日のうちに総務部を駆け巡り、漂う空気にもどこか安堵の匂いが感じられた。

育子が紅茶をいれてくれた。「課長もおひとつどうですか」とケーキを添えて。

藤井はますますなついてきた。「英語はやり直した方がいいですか」いつかの約束を信じているようだ。社内試験で「Ａｂ」以上を取るのが条件と脅しておいた。

愛子は合コンの件を忘れていない。「彼女がいない人に限定してくださいね」真剣な顔で念を押された。

中山からはあらたまった口調で話があると言われた。エレベーター横の自販機コーナーで話を聞く。

「実は、いつぞやの松田商店からの新任祝い、まだわたしが預かっておりまして……」封筒を差しだし、上目遣いに博史の反応をうかがっていた。

博史が黙る。さて、どうするか――。

ふと見ると、自販機の陰に松田が立っていた。ぎこちない笑みを浮かべ、小さく会釈する。

「いただきましょう。女房にネックレスでも買ってやろうと思ってたんですよ」博史は陽気に振る舞い、受け取った。断る方が面倒だからだ。

二人がたちまち表情を緩める。心から笑った松田は愛嬌《あいきょう》のある顔をしていた。

口から出まかせに言ったことだが、本当に幸子にネックレスを買ってやった。

幸子は一瞬眼を輝かせたが、「どういう風の吹きまわし」とすぐさま警戒した。

「素直じゃないねえ」博史が呆れる。

「ドイツへは行きますからね」

「どうぞ、どうぞ」

その夜は博史が皿を洗った。

「ドイツ行き、やめませんからね」

幸子の反応がおかしくて風呂掃除も博史がやった。

1

浜名陽子《はまなようこ》、というのが新任の部長の名前だった。歳は四十四、田島茂徳《たじましげのり》とは同い年である。ただし同期ではなかった。向こうが中途採用なのだ。

外資系の銀行を経て、茂徳が勤める大手総合商社に転職してきた。その後十年間、ヨーロッパ本部に赴任し、昨年の春に本社勤務の辞令が下りた。だからほとんどの社員が顔を知らなかった。

前任者の異動が内定したとき、茂徳は一人小躍りした。部内に目立った候補はおらず、序列でいけば、次は第一課の課長である自分だったからだ。

周囲もそれを噂した。気の早い同僚からは「よっ、出世頭」と冷やかされた。

ところがふたを開けてみれば、他部署からの抜擢《ばってき》だった。しかも女を。茂徳には「鉄鋼製品部・第一課課長兼部次長」の肩書きが与えられた。

予想もしないことだった。男女雇用機会均等法の施行以来、女性管理職は珍しくなかった。しかしそれは業務や総務といった部署での話であり、茂徳の所属する営業グループでは初めてのことだった。

「切れ者らしいよ」と知り合いが教えてくれた。「ベルギー政府の例の受注、彼女がずいぶん嚙んでたみたい」

もちろん切れるから抜擢されたのはわかる。だが、茂徳はショックだった。中途採用で同い年の女より、自分の評価は低いのだ。

部員たちも驚いた。営業グループは、伝統的に「男の戦場」とされてきた。

その人事を知った夜は、一人で酒を飲んだ。妻の美佐子《みさこ》に先走ったようなことを言っていたので、自己嫌悪も重なった。

くそったれが――。十分おきに腹の中で毒づき、その都度ため息をついていた。

「みなさん、よろしくお願いします」落ち着いたアルトヴォイスだった。「遠慮なく意見が言える、上下で隔たりのない職場を作っていきましょう」背筋を伸ばし、臆することなく部下たちを見つめて言う。

浜名陽子は春らしい明るいグレーのスーツを着ていた。髪はショートで薄く染めている。全体が若々しく、青春の残り香のようなものがあった。美人の部類に入るのだろう。歯並びの美しさが印象的だった。

茂徳は真っ先に浜名陽子の左手薬指を見た。結婚指輪があることに少し安堵した。夫がいるのなら、男の事情もわかってもらえそうだ。

「四つの課を取りまとめることになりますが、当面はこれまでどおり仕事をしてくださって結構です。まずはみなさんのことを知りたいので、全員、わたくしにメールをください。内容は自己紹介と、この部のよい点を二つ、悪い点を一つ、必ず記入すること」

にこやかだが、発する言葉には力があった。海外勤務の長さからして、物事をはっきり言うタイプに思えた。前任者は純日本的な根回しの人だったので、仕事のやり方は百八十度変わるかもしれない。

「それから、喫煙者には申し訳ないのですが、本日より鉄鋼製品部は禁煙になります。たばこを吸うときは廊下の喫煙コーナーでお願いします」

その言葉を聞き、愛煙家の茂徳は心の中で舌打ちした。危惧していたことだった。

前任者がヘビースモーカーだったので許されてきたが、会社全体としてはすでに七割以上の部署が禁煙なのだ。

二課の課長で、同じく愛煙家の高橋と目が合う。眉を寄せていた。

「あのう」茂徳は思わず声を発していた。「定時まで、ということにしませんか。六時以降は、どうせ男どもばかりですから」

「いいえ」間髪入れず、答えが返ってきた。「少数とはいえ女子の総合職もいますし、そもそも男女関係なくたばこを吸わない人はいます」

容赦のない言い方に、小さくかちんとくる。しかし顔に出すのはこらえた。

とりあえず同僚にはアピールできた。言いなりになる男だとは思われたくない。

浜名陽子は、それ以外に、途絶えていた「カジュアル・フライデー」を復活させると言った。若手社員はよろこび、茂徳たちは憂鬱になった。以前施行されたとき、何を着ていいのか途方に暮れた経験がある。洋服代がかかるのも痛い。

スピーチを終えると、軽く会釈した。全員で拍手をしたが、三人いる女子の総合職がとりわけ目を輝かせて手をたたいていた。彼女たちには歓迎すべき上司なのだろう。

「歓迎会はどうする」高橋が聞いてきた。「次席なんだから、おまえが指示しろよ」

「面倒くせえな」気安い間柄なので、つい本音を言う。

「じゃあ、なしな。らくでいいや」

茂徳は黙ってにらみつけた。

「なんだよ、おまえが面倒くさいって言うから……」高橋の目が笑っている。

「そうはいかねえだろう。慣例なんだし」

「たばこの吸えるところにしてくれよな」

「禁煙の飲み屋なんてあるか」

「無礼講にしような」

「ああ、そうだな」吐息混じりに返事した。

気乗りはしないが、最低三年は上司と部下の関係になる。どうせなら早い時期に、酒でも酌《く》み交《か》わして互いに胸襟《きょうきん》を開いた方がいい。

ところがそうはならなかった。直属の部下である由美に幹事を任せ、伺いを立てさせたところ、「昼食会にしてほしい」という希望が返ってきたのだ。

「お酒、飲めないの？」茂徳が聞く。

「いいえ、ワインなんかは好きみたいですよ。夜はできるだけ家族と一緒に過ごしたいんですって」

早速これか。部外からの新任のくせにいい度胸だ——。つい声に出かかる。

「いいんじゃないですか」由美は涼しい顔をしていた。「やっぱりアフターファイブは自分のものでしょう」

「なに言ってんだ。よその課の宴会にまで潜り込むくせに」

由美は大の宴会好きだ。減らず口はたたくが、職場を明るくしてくれる一般職の部下だ。

異例のことではあったが、金曜日のランチタイム、簡単なケータリングサービスを頼み、会議室で立食パーティーをすることになった。もちろんアルコールは抜きだ。

浜名陽子の周りには女子社員が集まった。

「えーっ、小学生と幼稚園のお子さんがいらっしゃるんですか」

「二人もですか」

女子が驚きの声をあげる。茂徳も意外に思った。てっきり子供はいないものだと決めつけていた。なるほど、子供がいるのなら、夜の付き合いは避けたいだろう。

「ご主人は何をなさってるんですか」

「銀行員なの」

「じゃあ残業が多そうですね」

「ううん。外資系だし、インターネットがあるから、在宅勤務が可能なの」

「あ、うちもそうしましょうよ」由美がおどけて言う。

「そうね。実は考えてるの。いきなりは無理だけど、会社との折り合いがつけば、モデルケースとしてね」

女子たちの間から拍手が起こった。

「おい、冗談じゃねえぞ」茂徳は高橋の耳元でささやいた。「書斎もないのに、どうやって家で仕事するんだよ」

「だいいち女房がいやがるだろうが」高橋も顔をしかめていた。

ただ、モデルケースという言葉を聞いて、茂徳の頭の中にある考えが浮かんだ。

もしかして、浜名陽子の部長抜擢も、モデルケースの要素が多分にあるのではないだろうか。営業職で初の女部長。対外的にも会社のイメージを上げ、マスコミが取り上げれば宣伝にもなる。

商社は国際的と言われながらも、根は年功序列の体育会系だ。以前、役員会の写真が海外のビジネス誌に載り、全員男であることを皮肉られた過去がある。イメージを変えたいのだろうか。

会社の考えそうなことだ。茂徳はため息をついた。そうならば、会社も黙って見てはいまい。折につけチェックを入れるにちがいない。

気が重かった。しかし抵抗しようがない。

「部長、ワインが好きなんですか」仕方なく茂徳も話の輪に加わった。

「田島さん、それからみなさんも、わたしのことは役職名ではなく苗字で呼んでいただけますか」

浜名陽子が慇懃《いんぎん》に微笑む。茂徳は頭を掻《か》き「じゃあ浜名さん」と言い直した。

「ワインだと、今はシャトールージュなんかが好きですけど」

「ほう、そうですか」一応相槌《あいづち》をうつ。

「田島さん、『そうですか』って、わかんないくせに」

由美が遠慮なくからかい、みんなで笑った。

浜名陽子の屈託のない笑顔を見て、茂徳はやや安堵した。気難しくはなさそうだ。

慣れればなんとかなるだろう。

立食パーティーはきっかり一時間で終わった。浜名陽子は全員に声をかけたが、わずか二、三日で、三十人の部下の名前をすべて覚えたのには驚いた。

「その部長さん、まさか自分で晩御飯は作ってないよね」

妻の美佐子がお茶をいれながら言う。部長が代わり、週一回だった自宅での夕食が三回になった。仕事が減ったわけではないから、職場というのは実に不思議だ。

「知らないよ。そんなこと」茂徳はテレビに顔を向けたまま答えた。中二と小六の子供二人は二階で宿題をやっている。

「家政婦さんとか、雇ってるのかなあ」

「知るわけないじゃん」お茶をすすった。

新任の部長の話をすると、美佐子は詳しく知りたがった。同年代の女として気になるらしく、家族構成まで聞いてくるのだ。

「子供はどうしてるのかなあ。二人でしょ」

「だからおれに聞かれても――」

「小学生でも高学年なら、留守番も平気だろうけど」

「なによ、いったい」

「凄いなあって思ってさ」ソファに腰を下ろし、美佐子もお茶を口にする。「わたしだったら、弘樹や大樹が心配でうちを空けられないだろうなあ」

「やけに感心するね」

「わたしとは四つちがいか」遠い目をして言った。「きっと逞《たくま》しいんだろうなあ」

「華奢《きゃしゃ》だよ、見かけは」

「心の話」にらまれた。

美佐子とは友人の紹介で知り合い、十四年前に結婚した。ごく普通のOLをしていた美佐子は迷うことなく仕事を辞め、家庭に入った。茂徳もそれを望んでいた。会社から疲れて帰ってくると自宅の窓に明かりがある。これがしあわせだと思った。一年後と三年後に男の子が生まれ、美佐子は母親になった。平凡ではあるが、郊外の一戸建てに住む、何不自由ない専業主婦だ。

「凄いなあ」美佐子が何度も感心する。

「大丈夫だって。お前の方が美人だから」

「馬鹿」よろこぶ素振《そぶ》りもなく、軽蔑の目を向けられた。

案の定、経済新聞の「ウーマン」という欄に浜名陽子は紹介された。広報が売り込んだのだろう。さわやかな笑顔で写真に写っていた。あらためて見ると、三十代で通る肌の張りと艶だった。

一橋大出でロンドン大学に留学という経歴は初めて知った。子供は小一と幼稚園ということだった。美佐子ではないが、家でどうしているのか気になった。親と同居でもしているのだろうか。

浜名陽子はいつも一人で昼食をとる。社員食堂が空いたころ、窓に面したテーブルでパスタを食べるのだ。夜の付き合いは一度もなかった。どうやら夫とのローテーションがあるらしく、どんなに忙しくても定時に帰っていく日があった。

その代わり、朝は早かった。毎朝午前八時前には出社している。「電話に出なくていいから集中できますよ」と言っていた。実際、彼女の集中力はたいしたもので、声をかけても気づかないことすらあった。昔、勉強のできる生徒がこうだったことを思い出す。決裁が早いので、部全体の仕事がはかどった。残業の多い部署は管理職のせいなのだと思い知った。

ただ、味気はなかった。職場に雑談がないのだ。

「おい、由美。彼氏できたか」

昔の癖でそんな軽口をたたいたら、浜名陽子が真顔でさっと茂徳を見た。無言の非難を感じた。

以来、女子社員全般をからかいづらくなった。もう由美も「今、ウエスト何センチですかァ」なんて意地悪を言ってこない。

三回遅刻をしたら一日ハッピを着て仕事する、という部内の罰ゲームは自然消滅した。そういう雰囲気ではなかった。

プロ野球談義が高じ、就業時間中に紙を丸めて三角ベースをしたころが懐かしかった。以前は営業グループきっての悪乗り部署として知られていた。宴会に継ぐ宴会で、銀座のクラブの領収書は部長が金額も見ずに判を押した。三万円以上は部長決裁だ。これからはむずかしくなりそうだった。

2

就任して半月が過ぎたあたりから、浜名陽子は徐々に自分のカラーを打ち出しはじめた。

まず、週一回の課長会議を取りやめた。各課の進行状況は、誰もが閲覧できるパソコン上でなされ、報告と懸案事項があるときのみ、開かれることとなった。

「その都度、時間を取り決めるのも面倒だし、定例会議はあった方がいいんじゃないですか」

茂徳は異議を唱えた。しかし浜名陽子には、「そのための時間を確保しておくことの方が面倒でもったいないと思うんです」とにこやかに却下された。

そして「ノー残業デー」が設けられた。毎週水曜日は、何があっても残業してはならないのだ。

　これには多くの部員から疑問の声があがった。

「木曜締めの稟議《りんぎ》があったらどうするんですか」

「原則として、でいいんじゃないですか」

　部次長兼任ということもあり、茂徳が代表して部内の意見を伝えることになった。もちろん、簡単に引くつもりはなかった。同僚たちの手前もあるし、それ以上に、一方的な取り決めが気に食わなかった。

「これは再考していただけませんかね」不服そうな態度を隠さないで言った。

「残業が習慣化するのってよくないと思うんです。どうせ残業すればいいって、夜の時間をあてにして」

　浜名陽子が椅子を回転させ、茂徳を見据える。口の端で笑みを作っていた。

「でも、それはフレキシブルに対応すればいいことであって、杓子定規《しゃくしじょうぎ》に決めることはないいんじゃないですか」

「ルールがないと、人間は甘えるんです」

「じゃあ、木曜朝イチ締めの仕事なんかはどうするんですか」

「どっちにしろ、デッドラインというものはやってくるんですから、あらかじめ水曜午後六時がそれだと思ってください」

手短に言うと、また椅子を回転させ、仕事に戻った。取りつく島がなかった。

「たのんますよ、田島さん」部下から非難された。面目丸つぶれだった。そしてちょうど間の悪いことに、木曜締めの見積もりがあり、施行最初の水曜の夜、課の男子全員、近所のデニーズで仕事をする羽目になった。みなでもそもそとハンバーグ・セットなどを食べる。

「これ、経費で落ちるんですか」若手に白い目を向けられた。

仕方がないので茂徳が奢《おご》ることになった。とんだ出費だ。

「なあ、おまえら。浜名部長のことはどう思ってる」

この際だから、部下の意見を聞いてみることにした。職場の雰囲気は確かに変わっている。部下たちがどう思っているのか、本音を知りたかったのだ。

「はっきり言ってやりにくいかな」すぐ下の係長が言った。「職場っていうのは、もう少し和気藹々《あいあい》としてないとなあ。効率第一っていうのは味気ないでしょう。それに、冗談が飛び交うくらいじゃないと、アイデアだって出てきませんよ」

「そうそう。ぼくも同感だなあ」三十五歳の中根が大きくうなずいた。「確かに以前は、三角ベースだの罰ゲームだの、悪ふざけが過ぎた部分があったかもしれないけど、そうやって職場の士気を高めた部分もあるんだし、公私を分けすぎるのは問題ですよ」

「あと、サンダル禁止っていうのはなあ」別の部下が言った。

「べつに来客があるわけでもなし」

「欧州帰りの人にとっては、公の場で靴を脱ぐっていうのがマナー違反に映るんでしょうけど」

みなが口々に不満を言う。茂徳は勇気づけられた気がした。部下たちは、浜名陽子のやり方に賛成していない。

ただ、子供が生まれたばかりの岩瀬だけは、「残業が少なくなったのはうれしいですけど」と遠慮がちに新部長の方針を歓迎した。

「この野郎。男の職場に女房子供の写真なんか飾りやがって」中根が冗談めかして頭をはたく。「そういうのは定期入れにでも忍ばせておくもんだぞ」

「いいよ、いいよ。今のうちに可愛がっておきな。父親なんかすぐに邪険にされるようになるんだから」

茂徳は苦笑して助け舟を出してやった。

「田島さん、浜名部長に一度ガツンと言ってやってくださいよ。職場は遊びも必要なんだって」

中根が焚《た》きつけるようなことを言う。

「うん？　そうだな……」茂徳は言い澱《よど》んだ。表立った対立は避けたい思いもある。

「鉄鋼製品部はバンカラが伝統なんですから、それを一部長の気まぐれで変えられちゃあ困るでしょう」

「ああ、同感だ」

鉄鋼製品部は代々仕事好きの男たちが集まってきた。全員、会社にいるのが好きだった。午後六時を過ぎ、これからが本番だと気合が入るようなところがあった。同僚や部下とワイワイやるのが楽しかった。それを新部長は変えようとしている。

「でも、女子の総合職はすっかり懐《なつ》いてるみたいですね」若手の一人が言った。

「そうそう。憧れの目で見てますしね」

「知り合いになろうと、よその部から遠征に来る者までいるんですよ」

「たいした人気だな」

茂徳は苦々しく思った。女子を味方につけるのは結構だが、これが職場に溝を作るようでは困る。以前だって、女子の総合職には気を遣《つか》ってきたつもりなのだ。

その件については翌日、由美に探りを入れた。

「結婚して子供もいるからだと思う」由美は口をすぼめてそう言った。

「どういうことよ」

「あれが独身で仕事一途の人だったら、それほど尊敬されないいんですよ。自分の行く末が不安になるから」

「ふうん」茂徳が相槌をうつ。

「浜名さんは三十半ばで結婚して、二人も子供を産んでるでしょ。だから、ああ自分はまだ焦らなくていいんだって思えるんですよ」

「詳しいね」納得できたので感心した。男は考えもしないことだ。

「四年制大学を出て総合職になった女子にとって、結婚と出産って二大ハードルなんですよ。浜名さんはそれを両方クリアして、しかも管理職だから、希望の星なんじゃないかなあ」

希望の星か――。茂徳は心の中でつぶやいてみた。なるほど、すべてを持つ彼女はモデルケースとしてはうってつけだ。女子総合職の士気も高まるにちがいない。

会社は現場を弄《もてあそ》ぶようなところがある。こっちはまるでモルモットだ。

「でも、結構意外な一面もあるんですよ」由美が声をひそめた。「この前、用事があって早く出社したら、浜名さん、机でスポーツ新聞を読んでたんですよ、それも熱心に。てっきり朝日か日経しか読まない人だと思ってたら」

スポーツ新聞ぐらい——。男など、いまだに漫画週刊誌を回し読みしている。

そんなある日、茂徳は浜名陽子と神戸に一泊二日の出張をすることになった。製鉄会社と共同出資で新たな工場を作るプランがあり、下見を兼ねた打ち合わせに出かけたのだ。

当初、茂徳は中根か岩瀬を同行させるつもりでいた。女と二人での出張などこれまで経験がなかったのだ。

しかし浜名陽子は「不要」と撥《は》ねつけた。「二人で充分」と言う。茂徳はやや緊張した。もちろん仕事だから普段どおりにやればいいのだが、それでも異性としての意識がゼロというわけにはいかない。夜は酒に誘ってよいものやら。勝手がちがうのだ。

美佐子には一人で出張だと嘘を言った。気を揉《も》むと思ったのだ。

そうなると疑問も湧いた。浜名陽子の亭主は、女房が男の部下と二人で、泊りがけの出張に出かけることをどう受け止めているのだろう。

自分なら絶対にいやだ。いったいどういう夫婦なのか。

新幹線の車中、浜名陽子は静かに文庫本を読んでいた。お義理程度の世間話をしたのち、「失礼」と言って翻訳物を取り出したのだ。

茂徳も本を持参していたが、ビジネス本だった。小説などいったい何年読んでいないことやら。

神戸の製鉄会社に到着すると、応接室でまず先方の担当者との顔合わせになった。

「どうもどうも、わざわざお越しいただいて」赤ら顔の男が、入ってくるなり茂徳に向かって深々とお辞儀をする。

「あ、いや。そうじゃなくて――」言葉に詰まった。

続いて現れた男も茂徳に頭を下げた。「浜名さんですね」

「いいえ、ちがうんです」茂徳は赤面した。

浜名陽子を見ると、慣れっこなのか平然としていた。女のハンディを垣間見《かいまみ》た気がしたが、同時に小さな屈辱も覚えた。自分は部下の立場なのだ。

名刺交換の段になり、今度は先方が赤面した。「女の部長さんでしたか。わたしら、関西では馴染《なじ》みが薄いものですから」しきりに頭を掻いていた。

ただ、関西人は遠慮がない。

「ご結婚はされてはるんですか」

「お子さんはおられるんですか」

「旦那さんはなんて言ってはるんですか」

茂徳がひやひやするようなことを平気で聞く。

浜名陽子は笑みを絶やさず、丁寧に受け答えた。きっとこれも慣れっこなのだ。あしらい方を知っている。

用地を視察するときも、先方がつい茂徳に向かって説明を始める場面が多々あった。間違いに気づき、浜名陽子に言い直す。その都度「ああ、こっちは部下か」と言われているような気がした。

「次回は銀行からの担当者も立ち会うことになりますが、そのときは航空写真を添付していただけますでしょうか」

視察の際、浜名陽子は細部に亘《わた》って注文をつけた。

「SCMシステムを導入することになりますが、その見込み案に関しても、もう少し詳しいデータを用意していただけると助かります」

いつの間に学んだのか、専門用語も駆使した。

そして視察を終えると、浜名陽子は、先方の用意した酒の席を辞退すると言い出した。

「それはまずいでしょう」茂徳は休憩所で翻意を求めた。「向こうは我々をもてなそうとしてるんですよ」

「わたしの決め事です。お酒の接待は受けません」浜名陽子が毅然とした口調で言う。

「そんな……」絶句した。「会社員で、酒の接待を受けないなんて」

「それに今日は水曜日のノー残業デーです」

「なにも出張先まで……社交でしょう。重要なことですよ。海外暮らしの長いあなたが、どうしてそういうことを……」

「ヨーロッパでは、辞退すればそれでオーケーです。誰も気を悪くはしません。だいいちパーティーはすべて夫婦単位で行われます。今回のようなケースなら、視察後、会議室に飲み物と軽食を用意して、そこで一時間ほど談笑して終わりにするでしょうね」

「ここは日本です。郷に入れば郷に従うって諺《ことわざ》もあるでしょう」

「とにかく、わたしは辞退します」

埒《らち》が明かなかった。不快な気持ちが込みあげる。気持ちを鎮めようと、ひとつ咳払いした。

「わかりました。じゃあ、浜名さんは関西支社に顔を出さなければならないことにして、わたしが断っておきます」

「いいえ、今後のこともあるのでわたしの口からちゃんと説明します」

「相手は大事なパートナーなんですよ。気を悪くされると、こっちだって——」

「大丈夫です」自信たっぷりに言う。

この頑固さはなんなのか。さすがに腹が立った。相手と気まずくなるならそれでもいい。そうなったら、局長に直訴して自分が取り仕切るまでだ。

浜名陽子は本当に自分で説明した。笑みを絶やさず、それでいて毅然と。先方は当初戸惑っていたが、女だから仕方がないと思ったのか、意外とあっさり引き下がった。

接待は茂徳一人が受けた。酒が入った先方の男に「女の上司は大変だねえ」と肩をたたかれた。受け流したが、顔がひきつった。

午後十時過ぎ、ホテルに帰ると、浜名陽子がタクシーから降りるところだった。どこかへ出かけていたのか？　用があるならそう言えばいいだろう。

「なあんだ。てっきりホテルで読書かと思ってましたよ」

酔いもあり、皮肉を込めて言葉を発した。ふと彼女の大きな手提げを見る。野球の応援に使うようなメガホンがのぞいていた。目が合う。

「子供の土産なの」

浜名陽子は一瞬顔を赤らめると、一人でさっさとホテルの玄関をくぐった。

浜名陽子はよそよそしいという感じではなかった。人の目を見て話すし、口元には笑みを絶やさない。遠慮もなく、イエスとノーをはっきり言った。

なのに違和感がある。要するに、隙がないのだ。前任者のように馬鹿をやってくれない。酒に酔って電柱によじ登ってくれない。

「外国暮らしが長かったんだから、仕方がないでしょう」

美佐子は亭主の帰りが早いのをうれしがっている。夕食が二度手間にならない、という理由らしいが。

「向こうじゃ泥酔した姿をさらそうものなら、人格を問われるって話よ」

「泥酔しろとは言わないさ。でも、カラオケをやらせたら実は音痴だったとか、そういう素顔を見せてほしいわけよ」

風呂上りに、タオルで髪を拭きながら茂徳が言った。

「やだやだ、体育会系は。いつまでたってもスクラム組んでいこうの世界なんだから」

美佐子は紅茶を飲んでいる。

「商社の国内営業っていうのはチームワークなの。一人だけ澄ましてられちゃあ――」

「男社会で女が頑張ってるんだから、温かい目で見てあげればいいじゃない」

「やけに肩を持つなあ」口をとがらせた。

「同年代だし、気になるの。同じ年代の女性が頑張ってるのを見ると、こっちも励みになるでしょう」

茂徳が憮然とする。総理大臣が女性閣僚を作りたがるわけだ。浜名陽子はいろんなところで味方を得ているのだろう。

タオルを首にかけ、台所へと歩く。冷蔵庫から缶ビールを取り出した。ふとレンジ台の棚を見ると、誰かの写真集があった。

「おい、美佐子。これはなによ」手に取り、表紙を向ける。

「あ、それ？　べつになんでもない」美佐子が顔を赤くした。

見ると、シンガーソングライター山崎まさよしの写真集だった。最近の音楽に疎《うと》くても、これくらいなら知っていた。

「ちょっと見てただけ」美佐子が奪い取り、うしろ手に隠す。うろたえた様子だった。

「おまえが買ったの？」

子供のものということはありえない。中学生と小学生の男子なのだ。

「そうよ」

「こいつのファンなわけ？」

「ファンだったらいけない？　歳に合わない？」早口になる。

「そんなこと言ってないだろう」

「じゃあ、いいじゃない」

「いいさ。おれだってモー娘のナッチのファンだもん」由美から仕入れた知識で顔までは知らない。「だから、こそこそしなくたって――」

「こそこそなんかしてません」

美佐子はむきになって言い返すと、写真集を胸に抱えて台所を出ていった。

なんだよ、変なやつ――。茂徳が口の中でつぶやく。

ビールを喉に流し込んで、大きなげっぷをした。浜名陽子の前でやったら、きっと冷たい視線を投げかけられることだろう。

そう思って舌打ちした。最近は、家に帰ってまで、浜名陽子が頭に浮かんでしまう。

3

二課の高橋が、浜名陽子に関する情報を仕入れてきた。他部署の幹部から耳打ちされたらしい。どうやら、海外組の筆頭である副社長一派が、営業グループの体質を変えようとして女の部長を送り込んだというのだ。

「どういうことよ」廊下の端の喫煙コーナーで、たばこをふかしながら聞いた。

「二十一世紀委員会っていうのができただろう。その連中に言わせると、これからの時代にバンカラ体質は古いんだとよ」

高橋が忌々《いまいま》しそうに言う。そういえば、そんな名の委員会があった。座長は副社長だ。社内には「メセナ委員会」や「自然環境委員会」など、いろいろな分科会がある。大半は名目だけだが、たまに思い出したように活動するのだ。

「副社長の肝《きも》いりかよ」茂徳は顔をしかめた。だとしたら勝ち目はない。

「でも営業出身の役員たちは面白くないみたいだぜ。滅私奉公でやってきた人たちだしな。とくに大杉さんは、『縄張りを荒らされた』って頭から湯気を出してるってよ」

大杉というのは、営業担当の役員だ。

「上で喧嘩でもやってくれねえかなあ」茂徳がため息をつく。

「だからな、おれは思うんだけど、おれたちが新部長の言いなりになったとすると、逆に大杉さんは不満なんじゃないのか」

「ああ……そうだな」

言われてみればそうだ。担当役員には腰抜けだと思われるだろう。

「つまり、少々派手にぶつかったとしても、大杉さんには好印象を与えるわけだ」

「おまえなあ」高橋の胸を軽く小突いた。「やけに煽《あお》るようなことを言うじゃないか。そう言うおまえがやれよ」

「いやあ、部次長を差し置いて……」

「こんなときだけ部次長か」茂徳は鼻に皺を寄せ、調子のいい同僚をにらみつけた。

しかし、高橋の言うことにも一理あった。ひょっとすると、これは試金石なのかもしれない。波風を立たせないで会社に気に入られるか、抵抗して担当役員に気に入られるか。

どっちつかずがいちばん株を下げるだろう。武士は二君に仕えず。男を試されているのだ。

そしてその機会は早くも訪れた。浜名陽子が休日の接待ゴルフを禁じたのだ。事前の相談もなく、連絡メールで一方的に通達された。

これには激怒した。茂徳はゴルフが唯一の趣味なのだ。

「おい、田島。これだけは絶対に引くなよ。日本の会社でゴルフ接待ができないなんて、おれたちだけドラなしで麻雀するようなものだぞ」

高橋も目を吊り上げていた。ゴルフ接待を楽しみにしている得意先は大勢いる。だいいちグリーン談義は商談の一部だ。

大きく息を吸い込み、部長の机へと行った。部下たちが聞き耳を立てているのがわかった。

「ちょっとお話があるのですが」

「ゴルフ接待のことですか」浜名陽子が机に向かったまま、静かに言う。反発は先刻承知のようだった。「休日、という但し書きが付いています。平日で必要とあらば、ゴルフ接待をしても受けても結構です」

「平日は会社の仕事があるでしょう」

「接待は仕事のうちです。ですから行ってもかまいません」

「あのね、浜名さん」身を乗り出した。「平日っていうのは、他の部署の手前、行きづらい空気があるんですよ。それはよその社でも同じことです。土日なら、誰に気兼ねすることなくのびのびできるでしょう」

「土日は家族のために使ってください」椅子を回転させ、向き直った。「子供が生まれたばかりの岩瀬君を、この前の接待ゴルフに連れて行きましたね。課長からついて来いと言われれば、断れないと思うんですよ」

ちらりと岩瀬を見た。硬い表情でさっと視線をそらせた。

「そんなこと、商社マンなら入社したときから全員覚悟の上ですよ。わたしだって若いころは、三連休すべてがゴルフだったことも——」

「威張るようなことではありません。平日に行ってください」

「いや、ですからね」顔を近づけ、声をひそめた。「平日は周囲の手前……」

「仕事なんですから、堂々と行っていただいて結構です」

なんて話のわからない女なのか。頭に血が昇った。平日ゴルフは、忙しく働いている同僚に対していくばくかの疚《やま》しさがあるのだ。そのぶん残業を多くしてバランスをとっている。馬鹿らしいといえばそれまでだが、そういう気配りで日本の職場は成り立っているのだ。

「せめて部内の意見を聞いてからにしてはどうですか。あまりに一方的でしょう」

「いいえ。こういう改革は行革と同じで、トップの断行が必要なんです」

「じゃあ個人の自由に任せればいいじゃないですか。休日接待が嫌だという者はそうすればいい」

「それはさっき言いました。部下は上司の誘いを断れないのです。人の話はちゃんと聞いててください」

このアマ、どうしてくれよう——。頬がひくひく痙攣《けいれん》した。

「もういいですね」

浜名陽子が机に向かう。とうてい納得できないが、反論の言葉が浮かんでこなかった。

なんてことだ。部下たちの前で言い負かされてしまった。屈辱に顔が火照《ほて》る。部下たちの盗み見るような視線を浴びつつ、茂徳が机に戻る。

隣で中根がくちゃくちゃとガムを嚙んでいた。目が合う。

「おまえ、仕事中になにガムなんか嚙んでんだ」

「あ、これを機会にたばこをやめようと思って……。そうなると口が淋しいから」

黙って耳を引っぱった。

「痛てて」中根が顔をゆがめている。

それにつけても、浜名陽子はどういう人間なのか。普通、上司であろうと新参者は遠慮するものだ。好かれようという気がないのか。

そして、茂徳の苛立ちに追い討ちをかけるように、浜名陽子は新たな要求を突きつけてきた。

次回の接待はオペラ鑑賞を予定していて、参加者は妻を同伴せよと言ってきたのだ。課長会議で、まるで「ネクタイを着用のこと」とでもいうような軽い口調で告げ、茂徳たちが呆然としている間に席を立った。

「先方は了承済みです。みなさんの奥さんに会えるの、とても楽しみだわ」

慇懃に笑みを浮かべ、去っていった。

「おれは行かねえ」高橋が色をなした。「ふざけるな。ここは日本だぞ。国内営業だぞ。オペラ？　妻同伴？　西洋かぶれもいい加減にしろ」

「おれだってお断りだね。女房だっていい迷惑さ」茂徳が語気強く言う。「先方も迷惑」と高橋が補足する。

休憩室に課長たちで集まり、たばこを思い切りふかした。

「でもさあ、接待相手は銀行の経済研究所だぜ。顔はつないでおいた方がいいんじゃないのか」

「そうだよ。しかも主任クラスの研究員たちだろう？　名刺交換するだけでも……」

三課と四課の課長は従うような口ぶりだった。

「裏切り者め」蹴飛ばす真似をした。

「いいじゃないか、一晩我慢するくらい」

それには答えず、鼻から荒い息を吐いた。なんでこうなるのか――。役人をノーパンしゃぶしゃぶで接待した昔が懐かしかった。これじゃあ学校のお楽しみ会だ。

足をテーブルに乗せた。椅子のスプリングを軋《きし》ませる。するとバランスが崩れ、茂徳は椅子ごと床に転げ落ちた。


浜名陽子の夫は百九十センチに届こうかという長身だった。鼻は高く、目は青い。名前をジョージといった。

茂徳は虚を衝かれた。外国人だなんて、思ってもみなかったのだ。

「はじめまして。陽子がお世話になっています」

深々とお辞儀をする。完璧な日本語を操った。ああそうか。夫を見てはっきりとわかった。浜名陽子は欧米流ではなく、欧米そのものなのだ——。

　妻同伴の接待など意地でも参加するものか、と思っていたが、三課と四課の課長に説得された。高橋もふくれっ面で妻を従えている。

　実のところ、接待相手に色気が出たのもある。やはり銀行筋には自分を売り込んでおきたい。

　美佐子は同行をあっさり了承した。と言うより積極的だった。「何着ていこう」と目を輝かせたのだ。

「ねえ、夫婦で夜出かけるって何年振りか知ってる？　四年振りよ。お義母《かあ》さんが泊まりに来たとき、子供を任せて『タイタニック』を観に行ったのが最後」

　美佐子のはしゃぎ方が意外だった。女房は、夜出かけられるだけでこんなによろこぶものなのか。

　美佐子を紹介すると、浜名夫婦は教科書通りの笑顔を見せた。服装や髪型をさりげなく褒《ほ》める。社交を心得ていた。

　研究所の夫妻たちも、茂徳同様この手の社交に慣れていない様子で、当初表情が硬かった。しかしすぐに打ち解けた。美佐子が笑わせたのだ。

「わたし、今夜がオペラ・デビューなんです。タモリの芸でしか見たことがなくて」

とくに夫人たちは、たちまち仲良くなった。専業主婦同士、話が合うのだろう。美佐子は浜名陽子にも物怖じせず接した。

「夫婦別姓なんですか」

「ううん。仕事だけ。本名はローズ陽子っていうんです」

美佐子が社交的なのに驚いた。開演前のロビーで、会話の中心にいる。ＰＴＡも婦人会も、役職を逃げ回っている人間とは思えなかった。

まあいい。女同士やってくれ。

茂徳は、近くにいた研究員の一人にそっと話しかけた。

「すいませんね、うちの浜名がやっかいなことを言って。夫婦同伴なんてご迷惑だったんじゃないですか」

「いえいえ」笑顔でかぶりを振る。「こういうのも、たまにはいいもんですよ」

「わたしは反対したんですけどね。小さなお子さんのいる家は困るだろうって」

「うちは妻の実家が近いので預けました。義理の両親はよろこんでましたよ」

話に乗ってこなかった。仕方がないので相手を代える。

「ゴルフの方がよろしかったんじゃないですか」

「いえいえ。わたしもオペラは初めてで、一度観てみたいと思ってたんですよ」

いきなりは無理か。招待されて、すぐに本音は吐くまい。

開演ブザーが鳴り、みなでホールに入った。二階正面のボックス席だった。「副社長のコネだとよ」高橋が不愉快そうに耳打ちする。

オペラは、茂徳にはさっぱりわからなかった。三十分もたつと眠くなった。

美佐子の様子をうかがうと、身を乗り出すようにして見入っていた。舞台に感動しているのではなく、非日常的な今の瞬間をかみ締めているように見えた。

終演後は、遅くまで開いているイタリア料理の店に行った。

「こういうレストラン、十数年振りですよ」美佐子が頰を紅潮させて言う。「子供が生まれてからは、ひたすらファミレスと回転寿司ばかり」

茂徳は赤くなった。「おい」とささやき、にらみつける。

「うちも、うちも」夫人たちが口々に言い、笑っていた。

「月に一回は、ご主人に連れて行ってもらわなきゃ」と浜名陽子。

「うちでは毎週日曜日は夫婦の日です」と夫のジョージ。

夫人たちがそれぞれの亭主を非難の目で見やり、男たちは顔を見合わせて頭を掻く。

茂徳は尻がこそばゆくなってきた。なあにが「夫婦の日」だ——。

ワインのテイスティングはジョージがやった。香りをかぎ、舌で転がし、「グッド」とつぶやく。

「素敵だわあ。ワインの選び方、うちの主人に教えてやってください」

美佐子が尊敬の眼差しをジョージに向けた。

だんだん腹が立ってきた。浜名陽子は、自分たちの教養を見せびらかしたくて、この会を開いたのではないか。そう思えてきたのだ。

たばこを吸いたいが、灰皿がなかった。貧乏揺すりをする。果たして灰皿を頼んでよいものなのか。まさか禁煙のレストランということはないと思うが。

研究員の中にも喫煙者はいるはずだ。全員が非喫煙ということは考えにくい。

ウエイターが近くを通ったので、思い切って言ってみた。

「ねえ君。灰皿くれる」

「あいすみません。レストランは禁煙で、バー・ルームのみが喫煙可となっております」

じんわりと顔が熱くなった。レストランが禁煙なのは仕方がない。店側の自由だ。

問題は、浜名陽子が、わざわざ禁煙のレストランを選んだことだ。接待相手に愛煙家がいるとは思わないのだろうか。

なんという独善的な態度。

「あなた、いい加減にたばこやめたら」美佐子が言った。

「水清くして魚住まず。ストレスで胃に穴を開けるよりは、肺に多少我慢してもらった方が、健康を全体としてとらえた場合、いいんですよ」

客の手前、笑顔を作り、穏やかに返答した。

「田島さん。いいこと言ってくれるなあ」研究員の一人が相好をくずす。「わたしも妻から禁煙を迫られてるんですよね」

ほら見ろ。愛煙家がここにいるじゃないか。茂徳は浜名陽子にひとこと言いたくなった。

「部長。いけませんよ、お客さんの意向を聞かなきゃ」

「あ、田島さん。わたしら、浜名さんから事前にちゃんと聞いてますから」と研究員。

「そうなんですか」

「ええ。気にしないでください。べつにニコチン中毒というわけじゃないし」

なんだよ。おれたちだけ蚊帳《かや》の外かよ。浜名陽子は勝ったような顔をしてワインを口に運んでいる。

浜名夫妻の話題は豊富だった。オペラだけでなく、映画や文学にも精通していた。

そして先方がわからないとなれば、テレビのネタもふった。厭味のないインテリだった。

完璧過ぎて、茂徳には居心地が悪かった。無菌室に入り込んだゴキブリの心境とは、きっとこういうものだ。

食後はバー・ルームへと移動した。やっとたばこが吸える。

「おい、すっかり部長のペースじゃないか」高橋が横に来て脇腹をつついた。

「まったくだ。息が詰まるよ」眉を寄せ、小声で答えた。

「おれたちだけで河岸《かし》を変えるってのはどうよ」

「おう、いいかもな」

悪くない提案だった。このまま終わるのは癪《しゃく》だ。茂徳は先方の一人に近寄った。耳元でささやく。

「お互い女房孝行もしたことですし、どうです、このあとは銀座で男同士、ぱっと弾けるっていうのは……」

「ほう、いいですね」相手の表情が緩んだ。

そうこなくては、と思った。これが接待の王道だ。男同士なら、絶対にわかりあえる。酒を酌み交わせば、二時間で相手の懐《ふところ》に飛び込む自信がある。茂徳はうれしくなった。

「みなさん」男たちに向かって声をかけた。「オペラとワインのゆうべは、ここで一旦お開きということにして、このあとは銀座にでも行って、野郎だけでちょっと強めの酒を飲むっていうのはどうですか」

「いいですねー」

「みなさんが行くなら、わたしも」

男たちが口々に言った。みんな顔がほころんでいる。当たり前だと思った。日本男児は、こんな窮屈な接待などよろこびはしないのだ。

そのとき浜名陽子が口をはさんだ。

「銀座のクラブってどういうところなのかしら。わたしも一度のぞいてみたいわ」

「あ、わたしも。テレビドラマでしか見たことがないんですもん」美佐子が続いた。

「じゃあ、ご夫人方は社会見学ということで、みなさんで行きますか」ジョージが長身をかがめて言う。

うそだろう？　茂徳は焦った。女房を連れて行くところじゃないぞ。ホステスだっていやがるぞ。

高橋を見ると、手で顔を覆っていた。「あのですね、そんなに広いところじゃないし……」しどろもどろになった。

くそお。ついて来られてたまるか。男には男の聖域があるんだ。どうしてそんなこともわからないのか。

「田島さん、お店の電話番号教えて。わたしが入れるかどうか聞いてみる」浜名陽子が慇懃に微笑んでいる。

頼むよ。どうして男の世界をわかってくれないのよ。力が抜ける。

急速に酔いが醒めていった。もはや愛想を振りまく気にもなれなかった。

深夜に帰宅したあとも、美佐子は上機嫌だった。酒がすっかり回った様子だ。銀座のクラブではウイスキーを飲んでいた。ウイスキーを飲む妻を見たのは初めてのことだった。

「ねえねえ、大樹と弘樹、置いて出かけても平気だね」

二階の子供部屋をのぞき、普段どおりの寝顔を見たら安心したらしい。夕食はハンバーグを自分たちで作り、食べたのだ。

「今度、わたし一人で出かけてもいいかなあ」

「どこへ行くんだよ」茂徳はネクタイを外し、ソファに身を沈めた。

「コンサート」

「誰の」

「山崎まさよし」

そういえば美佐子は山崎まさよしのファンだった。写真集を持っているほどだ。

「いいねえ、素敵な趣味があって」ぞんざいに言い、脱いだ靴下を放った。「でも一人じゃつまんないだろう。おれが一緒に行ってやるよ」

べつに観たくもないが、妻を夜、一人で外出させるのは抵抗があった。慣れてないので、気を揉みそうなのだ。

ところが美佐子は一瞬顔を曇らせた。「わたし、一人がいいんだけど」目を合わせずに言う。

「どうしてよ、おれがいると邪魔かよ」

「そうじゃなくって、どうせ女性ファンばかりだから、あなたには面白くないと思う」

「おかしなこと言うやつだなあ。かまわないよ、そんなこと」

「でも、きっと退屈する」なぜか美佐子は頑《かたく》なに拒んだ。

茂徳が訝《いぶか》る。自分が一緒だと、何か不都合でもあるのか。「ほんとに一人で行くのかァ」疑わしそうな目で言い、美佐子の顔をのぞきこんだ。

「一人よ。だいいち誰と行くっていうのよ」

「何をむきになってんだよ」

「なってない」

「なってるさ。隠し事するなよ」

「してません」

美佐子の顔色が変わった。

「あなたね、浜名さんにちょっと失礼なんじゃないの。銀座のクラブで、なんて言った？『子供は淋しがってないの』とか、『手料理は食べさせてるの』とか。酒の席とはいえ、不躾《ぶしつけ》にもほどがあるでしょう」

「いきなりなんだよ。関係ない話をするな」

「関係なくない。あなたは女が自由でいるのが気に食わないのよ。足を引っ張ろうとしてるの、ありありとわかった。わたし、浜名さんに申し訳なかった」

「そんなことあるか」

「ある。いくら昇進で女に遅れをとったからって、そこまで非協力的な態度をとることないでしょう」

「なんだと」

　かっとなった。昇進で女に遅れをとっただと？　言うに事欠いて——。

「デリカシー欠如。単細胞」美佐子も声のトーンがあがった。「男の世界にたった一人で放り込まれて、浜名さんだって大変なのよ。上からは期待されて、下からは反発されて、きっと夜だって眠れないはずよ」

「あの女がそんな玉か」

「そこがあなたの想像力のなさなの。図太いだけなら部長に抜擢されるはずがないでしょう。人知れず悩んでるのよ。部下に弱いところは見せられないって、精一杯気を張って毎日戦ってるのよ」

「どうして山崎まさよしからこういう話になるんだ」

「あなたが鈍感だから」

　美佐子が床の靴下を拾い上げ、茂徳に投げつけた。踵《きびす》をかえし、寝室へと去っていく。

「おい、なんなんだよ」目を剝き、抗議するが、美佐子は振り向きもしなかった。

　理屈に合わないことを。ふざけるな。口の中で唸り、靴下を壁にぶつける。

　掛け時計に引っかかった。くそお。ソファの背もたれに乗り、手を伸ばす。

足が滑って転げた。床に腰をしたたか打ちつけた。

4

あろうことか、浜名陽子のやり方が取引先で認知されるようになった。

「おたくの部長さん、お酒の接待は受けなかったんだよね」

そう言って、ランチの会食に切り替えてくる会社があるのだ。中には茂徳だけを接待するのに昼食会で済ませる下請けもあった。

「わたしは夜でも平気なんですがね」

「いえいえ、浜名さんににらまれますから」

うれしそうに手を左右に振る。おかげで料亭などすっかり縁遠くなってしまった。

「あー、『なだ万』の会席料理を食いてえ」高橋が愚痴をこぼす。

「じゃあ自腹で行け」

茂徳が冷たく言い返す。同僚の突き上げに、そろそろうんざりしていたのだ。

若い社員たちがよろこんでいるのも気に食わなかった。岩瀬は赤ん坊の写真を浜名陽子に見せヤニ下がっている。中根は「部長の英断のおかげ」と禁煙を続けている。女子の総合職ともなれば、立派な信奉者と言えた。課長たちを通り越し、直接相談を持ちかけるのだ。

由美は静観の構えだった。職場に遊びがないのは淋しいが、早く帰れるのはうれしく、この娘にはどちらでもいいのだろう。

「浜名さんね、会社のロッカーに双眼鏡が置いてあるんですよ。それとメガホンも」

由美が言った。

「なんだそれ」茂徳が生返事する。

「この前、床に落としたんですよ。あわてて隠してたから、どうして置いてあるのか聞きませんでしたけど」

「なんのこっちゃい」

外出したと見せかけて、向かいのビルから双眼鏡で監視でもしているのか。メガホンで怒鳴る練習でもしているのか。

いっそそれくらい性格が悪い方が、遠慮なく憎めてありがたかった。浜名陽子は優等生過ぎる。疎んじている自分が卑しく思えてくるのだ。

そしてとうとう本格的に衝突した。浜名陽子が今年の部内旅行を取りやめたのだ。

「土日を使うのは好ましくない」という理由からだった。

茂徳の苛立ちは頂点に達した。ただの社員旅行ではない。鉄鋼製品部創設以来続く、伝統の行事だった。丹沢の山奥の保養施設に行き、男子は褌《ふんどし》一丁で滝に打たれ、女子はほとりでぜんざいを作る。戦時中でさえ中断されなかった、部のシンボル的な催しだ。馬鹿馬鹿しいと眉をひそめる者もいたが、羨ましがる他部署の人間もいた。組織運営に士気高揚の祭りはつきものなのだ。

今度こそ引かない覚悟で抗議した。

「浜名さんは伝統というものをどうお考えですか」

「とても大切なものだと思います。でも、やめる勇気も必要だと思います。そうでないと会社は変わりません」

浜名陽子はいつものように、口元に笑みをたたえ、穏やかに話した。この冷静さが腹立たしいのだ。

「おそらく誤解があると思います。話だけ聞くと、アナクロな精神修養を連想するかもしれませんが、実際は和気藹々《あいあい》としたものなんです。滝に打たれるときは真剣でも、そのあとは笑いが絶えないし、夜は宴会だし、ちょっとユニークなレクリエーションといったものなんです」

「それでも休日に会社の行事というのはいかがなものかと思います。名目は自由参加ということになっていますが、これまではすべて全員が参加しています。これは事実上の強制で、こういう風土は好ましくありません」

「じゃあ、浜名さんは参加しなくても結構です」

「そういう問題ではありません。気が進まない人たちにとって、その手の行事が存在するだけでプレッシャーなんです」

「だから、いいじゃないですか」思わず語気が荒くなった。「浜名さんは自宅で家族とくつろいでいてください。こっちは行きたい者だけで行きますから」

「部下を無理矢理誘わず、自費ということでしたらご自由にどうぞ」

「自費？」茂徳は目を剝《む》いた。

「そうです。会社の行事でない以上、経費は出しません」

「あんたねえ」あんた呼ばわりしていた。

「名前で呼んでください」

「改革もいい加減にしなさいよ。変えていいものと変えちゃいけないものがあるんだよ」

「口の利き方を、もう少し丁寧に願えますか」

まったのか。

「おい」背中から腕をとられる。高橋だった。「落ち着けよ」

猛烈な怒りがこみあげてきた。どうしておれの楽しい会社はこんなことになってし

「おまえもなんか言え。この、くそったれが」

高橋に矛先《ほこさき》を向けた。おればっかりに言わせやがって——。

「くそったれ？」高橋が色をなした。

「そうだよ。頼りにならない同期め」

「おい、もう一回言ってみろ」顔につばきがかかった。

「誰か」浜名陽子が声をあげた。部下が数人、駆けてくる。たちまち引き離された。

「会議室にでも連れて行ってください」浜名陽子は眉ひとつ動かさなかった。

この女、いったい何が楽しくて生きているのか——。

「やい、田島。今の言葉は許さんぞ」

「うるさいんだよ、おまえは。おれたちで喧嘩してどうなる」

「おまえが売ってきたんだろう」

連れられていくとき、部下たちの哀れむような視線を感じた。おれたちは古いの
か？　時代遅れなのか？　泣きたくなった。水族館に浮かぶシーラカンスの心境がわ

かった気がした。

部内旅行は意地でも敢行した。貸し切りバスがキャンセルされたので、自家用車を持ち出し、丹沢の保養施設へと出かけたのだ。

茂徳が参加者を募った。「伝統を途切れさせてはならない」と個別にくどき、「自腹だけど頼むよ」と頭を下げたのだ。

三十人中、七人が参加した。由美ともう一人の女子社員を除けば、四十過ぎのおやじたちばかりだった。

「わたしは会社の行事、好きだけどなあ。みんなで遊ぶの、面白いし」由美が泣けることを言ってくれた。

「でも、若い男の子がいないんじゃあ」もう一人は口をすぼめている。

滝に打たれる精神修養も、ぜんざいを食べての語らいも、例年とは比較にならないほど地味なものだった。

夜は宿舎で愚痴大会となった。

「三課と四課が裏切るとはな」

茂徳が酒をあおる。

「オペラとワインのゆうべが効いたみたいだな。てめえらの女房が、接待相手の奥さん連中と仲良しになったんだってよ」

高橋がたばこをふかす。いまや社内で親友と呼べるのはこの男だけだ。

「担当役員の大杉さんはどうなんだよ。この行事を強行したことを、少しは認めてくれてるのかよ」

「ああ、大杉さんね……」高橋が頭を掻く。「今度、子会社の社長に就任するっていうから、そっちで忙しいんじゃないのか」

「なんだって?」茂徳の声が裏返った。

「あれ、知らなかったの」

「知るか、この野郎」顔を赤くした。「きさま、話がちがうじゃねえか」

「急遽決まったことだろうが。おれだって驚いたんだぜ」

なんてこったい。これまでの抵抗は、副社長一派の印象を悪くしただけなのか。

「もしおれが子会社に飛ばされたら、おまえも志願しろよ」目を吊り上げて吐き捨てた。

「怒るなよ。営業出身の役員はほかにもいるんだからさ」

「おまえの言うことはあてになるか。おまえなんか友だちじゃねえ」

頭を抱え、畳に寝転がった。週明けから会社に行くのがいやになった。こんな気持ちは、入社以来初めてのことだった。

浜名陽子が社内表彰を受けた。残業時間と交際費の削減に大きく貢献したというのだ。それでいて業績はキープしているのだから、茂徳はぐうの音も出なかった。

副社長がわざわざフロアまでやって来て、記念のペーパーナイフを手渡した。みんなで拍手した。伝統ある鉄鋼製品部が、何かの宣告を受けたような瞬間だった。

もはやこれまでか——。茂徳は虚脱感に襲われた。時代は変わったのだ。

そんなある夜、茂徳は残業をしていて浜名陽子と二人きりになった。お互い昼間は接客に忙殺され、明日締めの稟議書作成に追われていたのだ。浜名陽子が「付き合い残業」を嫌うせいで、仕事を終えた者はさっさといなくなる。フロアはしんと静まり返っていた。

それとなく浜名陽子に視線を向ける。髪をうしろに束ね、真剣な表情でパソコンのキーをたたいていた。映画のワンシーンのように、絵になっていた。これがブスなら、こっちも口惜しくない。美人だから、癪《しゃく》に障るのだ。

午後十時過ぎ、稟議書の作成を終え、パソコンの電源を落とした。ふと顔を上げると、浜名陽子と目が合った。彼女も同時に仕事が終わったのだ。外国人のように、軽い笑みを投げかけてくる。ただし隙はない。

「どうですか、たまには軽く一杯」

茂徳が口を開いた。断られるとわかっていたから、まるで身構えずに言えた。付き合いの悪い上司への、当てこすりのようなところもあった。

「いいですね。終電までなら」

浜名陽子が微笑んで答える。予期せぬ返答に茂徳は戸惑った。どういう風の吹き回しだ。おれのことは嫌いなんだろう――？

駅近くの居酒屋のテーブルで向かい合った。まずはビールで乾杯する。仕事についての差しさわりのない話をした。焼き鳥を食べ、景気の先行きについての話もした。最初の一杯を除いて、あとは手酌《てじやく》だった。

茂徳が日本酒に切り替える。「どうしますか」と聞いたら、「じゃあわたしも」と応じてきた。手酌も面倒なので、冷の枡酒《ますざけ》にした。

「珍しいですね」茂徳が目を伏せ、微苦笑する。「部下とさしで飲むなんて、初めてじゃないんですか」

「そうですね。機会もなかったし」

「避けてるんじゃないですか」意地悪な質問をした。

「そんなことは、ありません」

顔色ひとつ変えず、一合を飲み干す。茂徳が枡酒のおかわりを二つ注文した。

「どうです、我が鉄鋼製品部は。浜名さんの気に入るように改革できましたか」

「べつに、自分の気に入るように変えてるわけじゃないんですよ。部全体のことを考えて、改革を進めてるんです」

いつも通りの、そつのない答えだった。茂徳は、からむ気にもなれない。わずかの酒なのに、頭が痺《しび》れてきた。勝手のちがう相手だから、酔いの回りが早いのだろうか。

「しかし、女性の管理職っていうのも大変でしょうね。商社なんてのは男社会だから」

いつだったか、美佐子が言ったことを思い出す。男の世界に放り込まれて、彼女だって人知れず悩んでいるはずだ、と——。ならばせめて本心が聞きたかった。それで軍門に降《くだ》ってもいい。どうせ勝ち目はないのだ。

「いえ、みなさんの協力をいただいてますから」なのに浜名陽子は型通りの答えしかしない。

「そうかなあ。わたしや高橋は非協力的でしょう。頭に来たりはしないんですか」

「いいえ」微笑んでかぶりを振った。「仕事はきっちりこなしていただいてるし、文句はありません」

「でも、ストレスは溜まるでしょう。上からは期待されて、下からは反発されて。どうやって発散してるんですか」

「反発なんてされてないわよ。みんなと仲良くやってると思う」

「わたしは反発してるでしょう」やや向きになって言い返す。茂徳は酒を追加注文した。

「そうなんですか？」

「しょっちゅう嚙みついてるのに、わからないわけがないでしょう」

「誤解は、どこにだって転がってるものですよ」

茂徳は深くため息をついた。なんなのだ、この隙のなさは。少しぐらい弱音を吐いたっていいだろう。そういう浜名陽子を一度でいいから見たいのだ。そうすれば、こっちも少しは安心できるのだ。

「社外はどうですか。女だからという理由で軽く見られたりとかしないんですか。この前なんか、頭越しに局長に話を持っていかれたでしょう。この野郎とか思わないんですか」

「まあ、そういうのは時間がかかることだから」浜名陽子が余裕の笑みを浮かべる。

頼むよ。本音を言ってくれよ。自分も本当は辛いんだって——。ますます頭が痺れてきた。

「だったら、営業出身の役員連中はどうです。意地悪を言われたりするでしょう」

「ううん。そんなことないわよ。理解してもらってる」

うそだろう？　本当は階段から突き落としたい気分だろう——？

「管理職の孤独とか、感じませんか」

「ううん」

「殺したいやつとか、いませんか」

「まさか」口を手で隠し、笑っている。

その後も、茂徳の質問はすべてかわされた。表情から笑みが消えることはなかった。

「……田島さん。わたし、そろそろ、終電だから」

浜名陽子が立ち上がった。バッグから財布を取り出す。

茂徳が見上げる。酒を三合飲んでも、顔色はまったく変わっていなかった。

「いいです。ここはぼくが払います。もう少し、一人で飲みたいし」

「ううん、だめよ。ワリカンにしましょ」そう言って五千円札をテーブルに置いた。

「じゃあ、また明日」髪をふわりと浮かせ、去っていく。

なんなのだ。どうして弱音も吐かずに生きていけるのか――。

茂徳は敗北感を覚えた。自分は弱い人間なのだろうか。あそこまで自分を律しないと、部長職は務まらないのだろうか。だとしたら、自分にはできない。

手を挙げ、店員を呼んだ。今度は焼酎を頼んだ。


午前一時過ぎ、家に帰ると、寝室に美佐子はいなかった。

まだ起きているのかと思い、廊下から居間の様子をうかがうと、深夜の静寂の中、シャカシャカという小さな音が聞こえた。ドアのガラス部分には白い光がストロボのように瞬いている。暗い部屋でテレビを見ているのだとわかった。

亭主の帰宅に気づかないのか？　訝《いぶか》りながら廊下を歩き、そっとドアを開ける。

美佐子はヘッドホンをしていてテレビに見入っていた。床に腰を下ろし、膝を抱えて。

画面の色が美佐子の顔に反射している。茂徳はどきりとした。

すぐそこにいる妻は、これまで見たことのない顔をしていた。斜めうしろからでもわかった。憧れの君にうっとりする、恋する乙女の顔だった。

ブラウン管に目をやる。山崎まさよしのライブステージだった。深夜の音楽番組らしい。

声をかけられなくなり、忍び足で寝室に戻った。

心臓が脈打っていた。見なかったことにしようと思った。見たことを、美佐子に知られてはならない。これは妻の秘密なのだ。

美佐子の潤《うる》んだ目が瞼《まぶた》に焼きついた。

酔ってそのまま寝たことにしたいので、ネクタイを緩め、上着を脱いだだけで布団に転がった。

ずいぶん変なことをしていると思ったが、それ以外に方法が思いつかなかった。


翌週、浜名陽子に試練が訪れた。鉄鋼原料部との合同プロジェクトが始まったのだ。

鉄鋼原料部の牛山部長は大の会社人間で知られていた。茂徳には大学の先輩にあたり、通称は「ヌシ」。部員一丸がスローガンで、残業時間がワーストだと総務から注意が来ても、「それがどうした」と開き直る豪傑だった。

おまけに局次長の肩書きも持っている。浜名陽子は序列からいけば二段落ちで、逆らうことができないのだ。

「どうなるか、見ものだね」高橋が口の端を持ち上げ、にやついていた。

合同ミーティングはいつも日暮れから行われた。営業マンたるもの昼間は会社にいてはいけない、というのがヌシのポリシーで、その後は居酒屋に移動というフルコースだった。

「ミーティングは昼間、会議室でお願いします」浜名陽子は抵抗した。

しかしヌシには、「なにを言っとるんだ、君は。みんなが集まれる時間といったら夜しかないだろう、がはは」と笑って一蹴された。

渋々といった体《てい》で、浜名陽子は会議室のテーブルについた。せめて早く終わらせようと、進行役を買って出るのだが、ヌシが話し出すと脱線に継ぐ脱線で、なかなか本線に戻らない。

「牛山さん、手短にお願いします」

「おれは手短だよ。上着の袖なんか五センチは詰めないと、お猿さんになっちまう。がはは」

「契約のオプション条項についての議論を――」

「おっぷしょん」ヌシがくしゃみの真似をして部下たちを笑わせる。

表情は変えないものの、浜名陽子が苦りきっているのは確かだった。おそらくヌシのようなタイプは、浜名陽子にとってもっとも軽蔑すべき人間なのだろう。

居酒屋での第二ラウンドでは、浜名陽子はいっさい酒に口をつけなかった。乾杯にも加わらない。その勇気には恐れ入った。

「みなさんが酔う前に、先ほどのオプション条項について決めさせていただきます。わたしはB案が妥当かと判断します。その理由は……」

さすがにここまで来ると、鉄鋼原料部の若手たちは居住まいを正さずにはいられなかった。

「異論がある人は？」

「おれはね――」ヌシが口を開きかける。

「牛山さんは最後にうかがいます」

ぴしゃりと言い、一人一人を指名する。気圧《けお》されてか、同意する者がほとんどだった。

「多数決ならB案です。牛山さん、覆《くつがえ》したいのなら、今同意した人たちを翻意させてください」

「いや、おれは反対というわけではないのよ」

「じゃあB案に決定しました」

「ただね――」

「みなさん、お疲れ様でした。これで本日の会議は終了します。宴会の方をゆっくりと楽しんでください」

浜名陽子が立ち上がり、帰っていく。残された者は呆然と見送るしかなかった。

「おい、田島。なんだ、おまえんところの部長は」ヌシが憮然としている。

「まあ、ああいう人なので」肩をすくめ、口をへの字に曲げた。

ただ、一貫した姿勢に感服したのも事実だった。誰が相手でも、浜名陽子は態度を変えない。自分ならまずできない。孤立を恐れてしまう。

そして、浜名陽子はヌシと正面から衝突した。水曜夜の会議を断ったのである。

「当部署では水曜は『ノー残業デー』です。尊重していただけると幸いです」

ヌシは目を丸くした。彼にとっては、「残業を禁止する日」など「息をしてはいけない日」と同じ意味だ。

「ふざけちゃいかんよ。どうしておたくの部署の決まりごとにうちが合わせなきゃならんのよ」

「これまでは牛山さんに合わせてきました。水曜に関しては譲歩していただきます」

ヌシを正面から見据えて言った。部員たちはその様子を固唾《かたず》を呑んで見守っている。

「だめだめ。そんなこと言ってちゃ。アイデアは無駄の中から生まれるものなの。木の幹に花は咲かない。必ず枝から咲く。そうだろう？」

「面白いたとえだとは思いますが、承服しかねます。船は本流を進むべきで、支流に迷い込んだら、結局は後戻りをしなくてはなりません」

「言うねえ、君も」ヌシが顔を赤くした。「おい、田島。おまえは鉄鋼製品部の部次長だろう。黙って言いなりになっていいのか」なぜか矛先が茂徳に向かう。

「いえ、言いなりってことはありませんが」

「総務に点数稼ごうとか思ってるんじゃないのか」

さすがにむっとした。会議で浜名陽子に言い負かされているからといって、こっちに八つ当たりすることはないだろう。

「牛山さん、よその部署に口出しするのは失礼ですよ」つい口答えしていた。

「おろ？　おまえもノー残業デーとやらに賛成か」こっちに歩いてきた。

「関係ないことでしょう」

「あらー、田島も変わったもんだ。家でも職場でも姫方の尻に敷かれ、と」そう言って頭をつつく。いかに大学の先輩といえども許せなかった。

手を払いのける。ヌシの顔色がさっと変わった。

「おい、田島。先輩に向かってなんだ。その態度は」

「先輩後輩なんて、もう二十年以上前のことでしょう。しつこいね、あんたも」

「あんた？　いやー、出世したねえ、おまえも」肩を押された。

「なんですか」押し返す。

「なんだよ」また押された。

頬がひくひくと痙攣した。くそお。また喧嘩になるのか。どうして浜名陽子が元で、自分ばかり。

ほどなくして摑《つか》み合いになった。高橋が割って入り、若手社員たちの手で廊下に連れ出される。

ふと見ると、浜名陽子は何事もなかったように、かかってきた電話の応対に出ていた。かなわないと思った。

どうしてそんなに強くいられるんだ。どうして一人で平気なんだ――。

茂徳が心の中で叫ぶ。浜名陽子が、氷原を悠々と歩く、巨大な白熊に見えた。

結局会議はなくなり、午後六時には退社することになった。遊びたくても、みんな早く帰る癖がついてしまい、相手が見つからなかった。

新宿にゴルフクラブでも見に行くかな。そう思って総武線に乗る。すると、同じ車両の端に浜名陽子の姿を見つけた。家は千葉だと聞いていたので逆方向だ。

横顔を盗み見る。見たこともない柔和な表情だった。印象が違うのに驚き、つい凝視する。全体が軽やかだった。まるで鎧《よろい》を脱いだように。

浜名陽子は水道橋の駅で降りた。つられて、という感じで茂徳も降りてしまう。尾行というほどではない。なんとなく、うしろ姿に惹かれたのだ。

早足で改札を抜け、陸橋を渡り、東京ドームへと向かっていった。

何かやっているのか？　茂徳が周囲を見回す。キャラクターグッズの露店が出ていたのでプロ野球の試合だとわかった。それも日ハム対千葉ロッテ戦だ。

浜名陽子は三塁側でチケットを買い、中に入っていった。どうやら一人で観に来たらしい。プロ野球ファン？　聞いたことがないぞ。

いや。由美の言葉を思い出した。始業前のオフィスでスポーツ新聞を広げている姿を見たことがある、と。でも、それにしたって――。

少し迷い、茂徳も入ることにした。失礼だとは思ったが、好奇心がまさった。

浜名陽子はすぐに見つかった。内野席の前の方で、一人ぽつんと座っていた。地味な対戦カードだから、内野席に客はほとんどいない。可愛い背中だった。そう見えたのだ。

茂徳は二十メートルほど離れた斜めうしろに座り、様子をうかがった。試合はすでに始まっていた。パ・リーグだから知らない選手が多い。

千葉ロッテの攻撃が終わり、攻守交代があった。そのとき、浜名陽子が腰を浮かせた。バッグから小ぶりのメガホンを取り出すと、「黒木さーん」と声をあげた。

目の前の光景が信じられなかった。浜名陽子が？　うそだろう？

視線を移すと、マウンドには千葉ロッテのエース、黒木がいた。テレビによく映るのでこの選手ぐらいは知っていた。愛称は「ジョニー」だ。女性に人気があるらしく、スタンドのあちこちから黄色い声援が湧き起こる。

そうなのか――。茂徳は口の中でつぶやいた。黒木は、ここのところ毎週水曜日の予告登板で、「ウエンズデー・ジョニー」と呼ばれていた。水曜日――。

神戸の一夜が頭に浮かんだ。接待拒否。夜の外出。野球のメガホン――。出張先でも、浜名陽子は「ノー残業デー」を主張した。その夜は千葉ロッテが神戸に遠征し、そこで投げたにちがいない。浜名陽子は野球の試合を観に行ったのだ。

するすると謎が解けた。水曜日の「ノー残業デー」は、浜名陽子が、黒木投手を追いかけたくて作った決め事なのだ。彼女は、黒木投手の「追っかけ」なのだ。

距離があるのに、浜名陽子の横顔がよく見えた。一緒だと確信できたからだ。この前の夜目撃した、好きなシンガーソングライターに見惚れている美佐子の、恋する乙女の横顔と。

なんだよ、いったい――。茂徳の全身から力が抜けていった。椅子に深くもたれると、足を前に投げ出した。

なんだよ、なんだよ――。しばらく呆然としていた。

女はわからないな。口の中でつぶやく。でも、いいなと思った。こんな楽しみがあるなんて。

美佐子も浜名陽子も、空想の世界を持っているのだ。それは、日常からの小さな逃避にちがいない。好きな歌手やスポーツ選手を恋人に見立て、声援を送ったり、語りかけたり――。そうやって一人遊びをしているのだ。

浜名陽子は双眼鏡を手にしていた。それでずっと黒木ばかりを見ている。

三振を取ると手をたたいてよろこんだ。ヒットを打たれると悲しそうな顔をした。茂徳は大きく息を吐いた。親しく思う気持ちが奥底からこみあげ、頬がゆるんだ。早く帰った方がよさそうだ。もし気づかれたら、浜名陽子に悪い。

でも、もう少し見ていたかった。どうせ明日からは、いつものように隙のない上司しか演じてくれないのだから。

球場のカクテル光線を浴び、浜名陽子のいる一帯が輝いて見えた。

黒木がこの回を零点に抑えると、浜名陽子は立ち上がって拍手を送っていた。

パティオ

1

オフィスのある七階からは、パティオと呼ばれる中庭が一望できた。四十五歳の鈴木信久《のぶひさ》は、窓の前に立ち、一日に何度もそこを見下ろすのが癖になっていた。

ランチタイムを除き、そこに人はいない。パティオを取り囲む店舗テナントは、いつも閑古鳥《かんこどり》が鳴いている。

信久の勤務する土地開発会社では、数年来、この「港パーク」が頭痛のタネになっていた。倉庫街だった埋立地を再開発し、新たな高層ビル群ができたのが十年前。銀行、商社、ゼネコンを巻き込んでの巨大プロジェクトだった。当初は、「職」「遊」「住」が共生する未来型街づくりとしてマスコミの注目を浴びた。六棟あるオフィスビルはたちまち企業で埋まり、名のある会社が本社を移転した。高級コンドミニアムは完売し、都市公団は高層アパートを建設した。「職」と「住」は成功したのだ。

しかし「遊」が失敗した。人が来ないのだ。

ホテルを誘致し劇場を作ったものの、集客力は知れていた。運河沿いのボードウォークは、夜景を楽しむカップルで一杯になるはずだったが、そうはならなかった。人はすべてお台場に流れていた。向こうには、観覧車とレインボーブリッジという強い味方がいた。本社ビルを建てたフジテレビも、メディアの力で集客の一翼を担《にな》っていた。

おかげで港パークは、土日になるとゴーストタウン化していた。そして当然、レストラン群も土日定休となり、ますます人が寄らない街になった。

いいんじゃないの。空《す》いてる街も――。

信久も、本社にいたときは他部署の気安さで呑気に構えていた。オフィスが埋まらないなら死活問題だが、店舗テナントは枝葉でしかない。家賃を下げて現状維持に努めればよいことだ。

しかし、上層部はそうは考えなかった。経済新聞に、誰もいないパティオの写真と共に、「宴のあと」と報じられたのがカチンときたらしい。「バブルのツケ」のように揶揄《やゆ》されたのだ。

「とにかく人を集めろ」と、担当重役が営業局に檄を飛ばした。

すぐさまチームが組まれ、港パーク分室に送り込まれることになった。信久がその中に入った。与えられた肩書きは、営業推進部第一課課長というものだった。

もっとも現場はさほど深刻ではない。皮肉なことに、テナント企業は、「静かでよい」という意見が大半だったのだ。お台場のように、おのぼりさんに押しかけられる方が困る。「テナントは店舗より企業優先」重役の中には、陰でそう口にする者もいた。

同じく本社から来た坪井《つぼい》部長だけは張り切っていた。手柄になるのだから当然だろう。

「アイデアを出せ、アイデアを」

日に五回はこの台詞《せりふ》を口にした。

全部で五人のプロジェクトだった。期待が大きいのか、小さいのか、判断に迷う陣容である。

信久は、在任期間中、大過なく過ごせばいいという考えだ。局長から「二年だけ頼むわ」と押し付けられたポストなのだ。

ただ、成果なしはまずいかな、という意識もある。一応会社員だ。人事考課は気になる。

分室に来て半月ほどたった頃、信久は一人の老人の存在に気づいた。パティオには十組ほどの椅子とテーブルのセットが並べてある。そこで、サングラスをした七十代とおぼしき老人が、毎日読書をしているのだ。

悪くない光景に思えた。しょぼくれた年寄りではない。真っ白なポロシャツを着た老紳士なのだ。へたな若者よりずっと絵になっている。

周辺に住宅街はないので、コンドミニアムか都市公団の住人だろう。真っ先に頭に浮かんだのは、七十五歳になる自分の父のことだった。去年、信久は母を亡くしていた。父は、妻に先立たれたのだ。現在郷里の前橋で、一人で暮らしている。父は毎日何をしているのだろう。老人とついダブらせてしまうのだ。

「あの人誰?」

そばにいた事務職の加奈子《かなこ》に聞いた。

「さあ、おひょいさんですかねえ」

そういえば白髪のタレントに似ていなくもない。

二十二歳の加奈子は、誰にでも軽口をたたく。部長に対してすら、「室温が上がる」と肥満をからかうのだからいい度胸だ。

「それより鈴木さん、キムタクを早く呼んできてくださいよ」

加奈子の出したアイデアというのが、港パークを舞台に木村拓哉主演の恋愛ドラマを作れば、一発で全国区の名所になるというものだった。

部長が「それだ」と膝をたたき、信久がリサーチしたが、会社がメインスポンサーにでもならない限り実現不可能なプランだった。

「映画のロケならいくらでも呼べそうなんだけどね」

「だめですよ、日本の映画なんて。ミニシアターで一月やって終わりじゃないですか」

「歌手のプロモーションビデオは？」

「それもだめ。効果があるのは、人気タレントの恋愛ドラマだけ」

そうだろうな。信久も実感していた。過去にも単発のロケは数多く行われているが、目に見える効果は何もなかった。そもそも港パークは、「あそこなら空いていて便利」という理由で、申し込まれることが多いのだ。

「サッカーの代表チームを呼ぶっていう手もあるんだけどなあ」と加奈子。

「ばーか。ここのどこにグラウンドがあるんだ」

加奈子の言うことは無理難題ばかりだが、案外核心を衝いているのも事実だった。

要するに「村おこし」なのだ。過疎に悩む全国の自治体が四苦八苦していることを、信久たちもやっているのだ。

窓の外を見る。老人はパティオを独り占めしていた。昼休みになるまで、おそらくこの状態は続くのだろう。気持ちよさそうに、初夏の日差しを浴びている。なんだか羨《うらや》ましく思えた。自分もああいう老後を送りたいものだ。

何を読んでいるのかな。それも気になった。信久はもう十年以上読書とは無縁だ。読むとしても、ビジネス書か話の種のベストセラーものばかりだ。

昼休みに信久はパティオに出てみた。そこに老人の姿はなかった。テーブルはすべてランチをとるＯＬに占拠され、周りをコの字に取り囲む飲食店の前にはサラリーマンが行列を作っていた。

極端なんだよなあ——。当事者なのに、つい笑ってしまう。誰もいないか満員か、どちらかだ。

飲食店は、ランチタイムとアフターファイブ需要が約束されているのでクレームはつけてこない。コンビニも繁盛している。

不平たらたらなのは、ブティックや雑貨店だ。洋品店の主に帳簿を突きつけられ、冷や汗が出たこともある。

「なんだい、あんたら。うまいことばかり言って。ヤング・エグゼクティブがいっぱい来るって？　そんなもの、世の中から消えちまったじゃないか。こっちは山ん中で店開いてるのと一緒だよ」

返す言葉もなかった。他言しないという条件で、家賃はかなり安くした。飲食店ばかりになるのは、ショッピングモールを名乗る以上、好ましくないからだ。

書店と花屋には、「お願いだからいてください」と頭まで下げている。流行りのセレクトショップが入ってくれるなら、家賃はただでもいいくらいだ。

広東料理のレストランで部下と日替わりランチを食べた。食後は、運河沿いのオープンカフェへ移動した。セルフサービスなので、コーヒー一杯二百円の安さだ。

海風が吹いてきて、木々の葉が揺れた。街は緑も豊富だ。いい所なのにな。胸の中でつぶやく。外資系企業がいくつか入っているので外国人も多い。日本であることは忘れるくらいだ。勤務先としては最高の環境だろう。

午後一時になると、人の波は一斉にオフィスへと吸い込まれていく。これも極端な光景だ。飲食店側も、「なにも一度に来なくたって」というのが本音にちがいない。

せめて自分の会社はフレックスタイムにしてほしいのだが、なぜか毎回「時期尚早」と見送られる。きっと日本人は変化を好まないのだ。

七階に戻りデスクに向かう。本社との業務連絡をメールでやりとりし、企画案を煮詰めていく。毎月の重役報告があるので、何かをしなければならない。

ふと思い立ち、窓際へ行った。見下ろすと、誰もいなくなったパティオにまたサングラスの老人がいた。本を広げている。今日は天気がいいので、終日読書にあてるつもりなのだろう。

昼食は家に帰ってとったのだろうか。奥さんはいるのだろうか。そんな詮《せん》ない想像をする。

ときおりペットボトルの水を飲んでいた。年寄りが一人でいると、どうしても孤独という文字が浮かぶが、あの老人に関してはそんなイメージがなかった。泰然と、一人の時間を楽しんでいるように見えるのだ。

午後三時にのぞいたときは、もういなかった。太陽がビルをまたぎ、パティオは日陰になっていた。

なんとなく姿が目に焼きついた。加奈子に倣《なら》って、おひょいさんと呼ぶことにした。

家に帰ると、妻の順子《じゅんこ》が浮かない顔で「さっき、お義姉《ねえ》さんから電話があった」と言ってきた。

「なんだって？」

寝室で着替えながら聞く。姉は郷里で夫婦共々教員をしていた。実家とは車で二十分ほどの距離だ。

「お寺のこと」

「寺？　おふくろの法事はまだ先だろう」

「法事だけじゃ済まないのが、そっちの風習でしょう」順子が非難するような目で見た。

「まあ、そうだけど」

信久の郷里では、寺と檀家の関係が濃密だった。母の葬式のとき、いやというほど思い知らされた。

「お寺のこと、やってほしいって」

「おれに？　東京在住の弟に？」

「弟でも長男でしょう」

信久は黙って口をすぼめた。

「実を言うと、『順子さんやってくれない？』って言われたの」背広をダンスにかけている。「久し振りだなあ。長男の嫁って言葉を思い出したの」

信久は返事をしなかった。顎をさすり、「先に風呂、入るわ」と話を逸らす。

「わたしがやるのは構わないけど、お寺の言いなりにはならないからね」

「そこはひとつ、穏便に……」

「いやよ。黙ってればタクシーを回せとか、花屋はここにしろとか、好き勝手なこと言って。四十九日のときなんか呆れたわよ。坊主どもが人ん家《ち》で勝手にお寿司なんかとって」

「まあ、田舎は付き合いがあるから」

「地方政治がどう腐敗してるかわかった気がしたね」

順子は東京っ子だ。言うべきことをちゃんと言う。田舎では絶対に暮らせないだろう。

確認の意味もあり、姉に電話を入れた。どうやら姉は父を心配しているらしい。

「おとうさんは、お寺さんから言われたら断れないから」受話器の向こうで苦笑していた。「わたしが仕切ると角が立つし、信久君は忙しいだろうし。悪役にして申し訳ないけど、順子さんが窓口になってくれれば、向こうも図々しいことは言わないと思うの」

「いいよ。じゃあ、今後は長男の家を連絡先にしてくれって、寺にはそう伝えておいて」

信久は承諾した。田舎では墓が人質だ。墓がある限り、寺には逆らえない。順子は、「どうしてわたしが住んだこともない前橋のお墓に入るわけ？」と明確に拒否している。信久も異存はない。

「ところで、おとうさん、家庭菜園を再開したみたい」

「へえー。そりゃあいいことだ」

姉が言う家庭菜園とは、寺が余剰地を檀家に貸した畑のことだ。定年後、両親はそこで茄子やネギを作っていた。収穫があると、姉や信久に送ってくれた。母が死んで、父は長らく無気力状態だった。食事はコンビニ弁当で済ませ、部屋は万年床だった。畑も草が生え放題だった。春になって、自炊を始めたり、身の回りをきれいにするようになった。以前の生活に戻りつつあるのだ。

「たまには電話してあげなさいよ。顔を出せとは言わないから」

「ああ、そうだね」

「この前、麻美と直人を連れていったら、小遣い一万円ずつ上げようとするの。『多過ぎる』って半分にしてもらった。子供たちはブーブー言ってたけど」

姉の家も信久の家も、子供はすでに中学生だ。もう親とは出かけたがらないし、お祖父《じい》ちゃんに甘える歳でもない。

互いの近況を簡単に報告しあい、電話を切った。

さてどうしよう。父に電話をかけようか――。

とりあえず先に食事をとることにした。男親と話すのは、いくつになっても気詰まりだ。

父の今後に関しては、誰も話題にしようとはしない。姉も、順子も、父本人も。どうせなるようにしかならないのだ。田舎に帰ることも、東京に呼び寄せることも、どちらも現実味は薄い。いまは健康を祈るのみだ。

だいたい母が先に逝くなどとは、考えてもみなかった。なんの根拠もないのに、長生きするのは母だと決めつけていた。家事も裁縫もできて、一人で生活できる母だと。

それだけに、信久自身の喪失感も大きかった。まだどこかにいるのではないか。そんな子供じみたことを、時に考える。

きっと世間の同世代は、大半が自分と同じだろう。半分楽観的で、半分現実を見ないようにしている。親に関しては、モラトリアムなのだ。

「お義姉さん、なんだって？」ご飯をよそいながら順子が聞いてきた。

「おやじは寺の言いなりになっちゃうから、おまえに頼みたいんだって」

「ふうん。じゃあ、お布施《ふせ》も値切ってやる」

「おいおい。喧嘩はしないでくれよな」

メンチカツを頬張った。子供たちはとっくに食べ終えて二階に上がっている。

「お義父さん、この先どうするの」順子がぽつりと言う。

「さあ、どうするのでしょう」おどけて答えた。

「無責任な長男」

「二十一世紀にそういうこと言うなよ」

「わたしは、介護士を雇うっていうのが現実的だと思う」

「なによ、いきなり」介護という言葉を聞いてどきりとした。「そんなの、ずっと先の――」

「全然先じゃない。そのときになってあわてたって遅いんだから」

「八王子のお義父《とう》さんとお義母《かあ》さんのことは、どう考えてんだよ」

「うちは介護士。隆志とも話した。由美子さんに押し付けられないでしょう」順子は、自分の弟とその嫁の名を言った。「みんな、それぞれの人生を大事にするべきだと思う」

「強いねー」

「ちゃかさないの」

「ちゃかしてなんか――」

「とにかく、いつか機会を持って話すこと。避けたいのは誰だって同じなんだから」

信久はうつむき、ご飯を口に運んだ。

そっと鼻息を漏らす。みんなはどうしているのだろう。昔仲間でも、親の話などはとんどしない。

父への電話は、後日に延期することにした。いつになるか、自分でもわからないが。

2

おひょいさんは、天気のいい日は毎日パティオで読書をしていた。午前十時から十二時近くまでと、午後一時過ぎから三時までだ。人で混雑するランチタイムはどこかに消えていた。空《す》いている場所が好きなのだろう。

テーブルも決まっていた。いちばん運河寄りの、藤棚の下だ。特等席といってよかった。おひょいさんにしてみれば、誰にも教えたくない穴場中の穴場にちがいない。

服装はいつも真っ白なポロシャツかオープンシャツを着ていた。下はコットンパンツで素足にローファーを履いていた。おしゃれのほどがよかった。年配者は、くすんだ色の服を着るか、若々しく見せたくて派手な原色に走るか、どちらかだ。結局、清潔に見せるのがいちばん得策なのだ。

サングラスも似合っていた。ヨーロッパのリゾート地に海外出張したとき、年配者のサングラス姿が多いことに驚いたことがある。それを想起させる雰囲気があった。自分の父親も、あれくらいのセンスがあればいいのだが。ついそんなことを思った。

父は高卒で市役所に採用され、土木課一筋で定年まで勤めあげた公務員だった。服装にはまるで関心がなく、休日ですら役所の作業服を着ていた。素足でローファーを履くなどという芸当とは一生縁がないだろう。

もっとも、いまさら変わってほしくもない。今でも父に似合うのは安全靴だ。

「おい、鈴木。アンティーク・バザーの出店数はちゃんと確保できてるんだろうな」

坪井部長が貧乏揺すりをしながら言った。活性化プランの第一弾が、駅前ビルの吹き抜けホールとパティオを同時に使った骨董市だった。

古物商組合を通さず、若者に人気の店を独自にリサーチし、直に出店要請して実現にこぎつけたものだった。

「目標の二十店には足りませんが、家具屋が三つあるので見栄えはすると思います」

「テントは？」

「手配済みです」

「運動会みたいなやつはだめだぞ」

「大丈夫です。イギリスの競馬場で使うようなマーキーを探してきましたから」

バザーは木曜から日曜までの四日間開催される。各マスコミにプレスリリースを発送し、沿線の駅ではチラシを配布した。もちろん港パーク内とその周辺でも。平日については、テナント企業のOLたちと近隣地域の主婦が頼みだ。

土日は、いくつかの飲食店が営業してくれることになった。客を呼んでおいて、カフェひとつ開いていないとなると、余計にイメージダウンしてしまう。

ボードウォークにはベンチを並べることにした。カップルがたくさん来てくれたら、どれほどうれしいことか。

「鈴木さん、『Ｈａｎａｋｏ』に告知が出てますよ」

加奈子が女性誌を見せてくれた。小さな情報欄だったが、それでも心が弾んだ。

「これで三人ぐらいは来るんじゃないですかねえ」

「憎まれ口ばかり利きやがって。嫁に行けないぞ」

「あ、それ、セクハラ」

加奈子はサークルの後輩を動員してくれるようだ。

週間予報では、週末まで天気が崩れる心配はなし。天気がいいときのパティオは、南欧のリゾート地に似ている。本当は教えるのがもったいないくらいだ。

バザー前日、パティオに出てテントの設営場所を確認した。メジャーで幅を測り、チョークで印をつけておいた。

藤棚の下のテーブルには、おひょいさんがいた。サングラスのせいで目線はわからない。いつものように本を読んでいる。

そばを通ったとき盗み見たら、時代小説だった。やや拍子抜けした。シェークスピアだとか、ヘミングウェイだとか、そういう海外の古典だろうと勝手に決めつけていた。

裏表紙にステッカーが見えたので、図書館から借りたものだということもわかった。

合理的といえば合理的だ。本はすぐに溜まってしまう。

おひょいさんは老人にしては大柄だった。百七十センチ以上はあるだろう。自分の父は、還暦を過ぎてからは五センチ近く背が縮んでいた。だからおひょいさんは、若いころはそれなりの長身だったにちがいない。

大きな人は得だな。一人でも様になる。孤独が似合う。

じろじろ見ても失礼だと思い、早々に場を離れた。

「あの爺さん、いつもあそこで本読んでるんだよね」部下の一人に言うと、「知ってます」と答えが返ってきた。

「コンドミニアムの人かな」

「さあ、どうでしょう。ここのコンドミニアムはほとんどセカンドハウスですからね。住んでる人は少ないと思いますよ」

「じゃあ、公団のビュータワーか」

「あそこは意外と老夫婦も多いみたいですね。広い家が必要なくなって、この先買うのも意味がないから、家賃が嵩《かさ》んでも見晴らしのいい高層アパートに住もうっていうんじゃないですか」

「ふうん。一戸建て信仰は崩壊しつつあるのかね」

信久が肩をすくめる。田舎の父ならばきっと考えもしないことだ。癌であれよあれよという間に逝った母も、最期は自宅に戻ることを望んだ。自分の建てた家には思い出が多すぎるのだろう。

そのとき、ホストとその情婦たちといった感じの、垢抜けない若者の一団がパティオに現れた。雰囲気からして、お台場から流れてきたらしい。

「ねえ、ここ、いいとこじゃん」女がはすっぱな声を出す。北関東のなまりがあった。

「おい、写真撮ろうぜ」

若者たちが交互に写真を撮りあっている。黒髪は一人としていない。まるでヘアダイの色見本だ。

テーブルを二つ占拠し、競うようにしてたばこに全員が火をつけた。そこに灰皿はない。港パークは屋外でも喫煙スペースを決めていた。パティオなら、端の軒下《のきした》だけだ。

警備員を目で探す。付近には見当たらなかった。自分で注意するつもりはない。信久は一人顔をしかめた。人を呼ぶということは、ああいう連中も来てしまうということなのだ。お台場はいまやおのぼりさんの天国だ。羨ましいとは少しも思わない。

若者たちは騒々しかった。笑い声ひとつをとっても品がなく耳障りだ。ケータイに向かって大声をあげている者もいる。吸殻は足元に捨てていた。

おひょいさんが立ち上がった。本を閉じる。椅子を元の位置に戻すと、ゆっくりとその場を去っていった。

苦虫を嚙み潰すとか、若者たちをにらむとか、不快そうな素振りはまるでなかった。最初からあきらめている、あるいは何も期待していない、そんな感じに見えた。

老人は怒りっぽいというが、おひょいさんには当てはまらないようだ。淡々とした態度が、なんだか好ましく思えた。

アンティーク・バザーの初日がやってきた。外注のスタッフも含めた全員で、早朝から準備をした。パティオのアーチに看板を掲げ、明るいポップスをBGMに流した。

テントは、加奈子が一目見て「かっこいい」と目を輝かせた英国製だ。オフィスに向かう会社員たちも立ち止まって様子を見ている。出店するショップが商品を搬入し、会場が活気づいてきた。

「客は来るんだろうな」隣で坪井部長が貧乏揺すりしている。

「バザーは初日がだめなら全部だめって言いますからねえ」

加奈子が冗談めかして言うと、坪井はかすかに気色《けしき》ばみ、口の減らない部下に掃き掃除を命じた。

「今日は平日なので、大盛況というわけにはいかないと思いますが、少なくともランチタイムと夕方は必ず人が集まりますから」

信久が答える。与えられただけの仕事のはずが、いざ始まるとなれば、やはり気を揉んだ。出店してくれた店のためにも、閑古鳥が鳴くなどということがあってはならない。

じっとしていられなくて、自分も掃き掃除をした。ベンチの雑巾がけもした。

そこへおひょいさんがやって来た。

右手には本、左手にはミネラルウォーターのペットボトル、いつもの出で立ちだ。

ああ、そうか——。うっかりしていた。バザー期間中、パティオは人で一杯になる。おひょいさんの好きな、静かな空間ではなくなるのだ。

でも同情する気はなかった。こっちだって仕事なのだ。

信久は遠くから、それとなく視線を向けていた。藤棚の下で、おひょいさんは立ったまま、しばらく作業の様子を眺めていた。音楽がうるさいので、本を広げる気にはならないのだろう。

次に、ボードウォークの方へ歩いていった。ベンチに腰かけ、足を組む。運河に向かって考え事をしている。

落ち着かないらしく、一分で立ちあがった。今度はパティオ内を歩き始めた。準備中の店先をのぞいたりしている。

もうすぐオープンだ。なんならお客さんになってくれるとうれしいのだが……。

しかし、そうはならなかった。おひょいさんはバザー会場を一周すると、パティオをあとにした。ゆっくりとした足取りで、背筋を伸ばして。途中、看板を見上げた。開催期間を確認しているように思えた。そのうしろ姿を信久はずっと見ていた。

おひょいさんは駅ビルのガレリアを抜けて、大通りを渡っていった。向かった方角には高層アパートがある。どうやら公団の住人のようだ。

いつもの場所が使えないとなると、あの老人はどこへ行くのだろう。図書館だろうか。それとも家に帰るのだろうか。

ところで奥さんはいるのだろうか。信久はふとそんなことを思った。奥さんがいるのなら、一緒のところを見てみたい。

不意に父の顔が浮かんだ。母を亡くした父の顔が。父は一人で、毎日どこへ行くのだろう。

バザーは盛況だった。思いがけず、人出があったのだ。

どうやら、三つ隣の駅の団地から、主婦が誘い合って来たらしい。「あら、いいところ」顔をほころばせている。そうなのだ、オフィス街だと思って誰も来ないだけのことなのだ。

ベビーカーを押している若い母親が多いのがうれしかった。港パークには子供が少ないので新鮮だった。彼女たちは行動範囲が限られている。なんならこのパティオで午前中を過ごしてくれればいい。

主婦が集まれば、主婦向けの店を誘致できる。子連れが増えれば、子供服の店を誘致できる。そうして街は賑《にぎ》わっていくのだ。

土日になると、今度は若いカップルや家族連れで賑わった。これ見よがしに大型犬を連れた夫婦が来たときは、なんだかおかしくなった。雑誌から抜け出てきたような「ちょっとお洒落な夫婦」だったのだ。

きっとああいう人たちが消費を喚起するのだろう。歓迎すべきことだった。

バザーは大成功だった。坪井は上機嫌で写真を撮りまくっていた。

「おい鈴木、来場者数は何人にする？」すでに本社への報告のことを考えているらしい。

「一日千人の計四千人でどうですか」

「馬鹿言え。一万人は来ただろう」

かなり大袈裟《おおげさ》に報告されそうだった。

期間中、おひょいさんは一度もパティオに姿を見せることはなかった。藤棚の下は来場者の恰好の休憩所となり、その他のテーブルも常に人で埋まっていた。

少し気の毒にも思ったが、読書のできる公園など他にいくらでもあるだろうし、深くは考えないことにした。

家では順子が憤慨していた。信久の郷里の寺が、本堂の修繕費を名目にお布施を要求してきたからだ。直接ではなく、檀家の地元有力者を通しての通告だった。

「信じられない。十万包めって。何を根拠にそんなに払わなきゃなんないのよ」顔を赤くし、目を吊り上げている。

「親父が払うんだからいいじゃないか」信久はなだめ役に回った。「今回だけだろう？　次からは通常に戻るさ」

「それにしたって腹が立つ。どうして話がお義父さんに行くわけ？」

順子は「夫と相談する」と返事を留保したらしい。するとすぐさま父に連絡がいったのだ。

「東京の嫁が怖いのさ。それに親父とは昔馴染みだし」

「お義姉さんが心配したとおり。人がいいお義父さんにつけこもうとしてる」

信久は答えなかった。父に電話してみようか。なんならこっちで断りましょうか、と。

いや、波風を立たせたくないのは父本人だ。昔から、争いごとを好まなかった。隣家の車が垣根を壊しても、気まずくなるのを恐れ、賠償を求めなかったのだ。

代わりに姉に電話した。「代替わりした住職っていうのが生臭《なまぐさ》坊主でねえ」姉が不愉快そうな声を出した。そういえば正月、墓参りに行ったとき、若い僧侶にＢＭＷを洗車させているのを見た。狐みたいな顔をした、いかにも小物といった感じの男だった。

「ところで、おとうさん、トマトの栽培を始めたんだって。小さなビニールハウスまで作って」姉が話を変えた。

「なによ、すっかり農業従事者じゃない」

「何かに打ち込みたいんじゃないの。ぼーっとしてると、おかあさんのこと、思い出すし」

「そんな感じ、あるの?」

「あるわよ。信久君には言わなかったけど、去年なんか、近所の人に『お淋しいですねえ』って言われただけで、ボロボロ涙を流してたんだから」

初耳だった。姉は、弟に余計な心配をかけまいと黙っていたにちがいない。

「電話してあげなさい」

「うん」

曖昧に返事をして電話を切った。父が泣いた? 葬儀のときは毅然としていた。あれは精一杯の頑張りだったのだろうか。それとも実感が湧かなかったのだろうか。疚《やま》しさを覚えた。自分は父を勇気づけることすらしていない。

もっとも、父にしたところで、娘と息子では見せる姿もちがうはずだ。自分が父親だからわかる。男親は息子の前では永久に強がるものだ。

時計を見た。午後九時半だった。母が生きているころ、もう九時過ぎには床についていると聞いたことがある。年寄りは夜も朝も早い。

電話は先送りすることにした。

おひょいさんは、月曜日から再びパティオで読書をはじめた。藤棚の下、いつものテーブルで。

バザーが終われば、また閑散としたパティオに戻っていた。信久は、月に一度イベントを開催すればいいと考えていた。そうやって地道に来訪者を増やしていけばいい。

ただし坪井部長は別だった。初回の成功に気をよくし、毎週何かをやりたいと言い出したのだ。

「アメリカの野球場なんかは、毎試合イベントがあるそうじゃないか。選手と記念撮影ができる日とか、家族四人で来たら一人ただで入れる日とか、そうやって客を確保してるんだ。みんな必死ってことよ。殿様商売は通じないんだよ」

「予算はどうするんですか」信久が聞く。

「タイアップを探してくるってのはどうだ。新型ケータイの展示即売会だとか、化粧品メーカーのキャンペーンだとか、なんだってあるだろう。知恵を使えよ、知恵を」

やけに鼻息が荒かった。加奈子の得た情報では、重役からお褒《ほ》めの電話があったらしい。

昼休み、遅めのランチをとったあと、信久は一人でパティオに出てみた。夏日を記録することが多くなったが、そばを運河が流れているせいか蒸し暑さはない。海風も吹く。港パークの立地のよさに、いまさらのように感心した。

おひょいさんの前を通った。何気なく視線を向ける。初めて目が合った。

「いい天気ですね」

口が自然に動いた。気がついたら声を発していたのだ。

「ええ……そうですね」

おひょいさんが返事をした。思ったより甲高《かんだか》い声だった。愛想はない。不意に声をかけられ、驚いているふうに見えた。

「この近くにお住まいですか」

「ええ」

軽くうなずく。どことは言わなかった。

「いつもこの下にいらっしゃいますね」

信久が藤棚を顎でしゃくり、そう言うと、おひょいさんの表情に小さく影が差した。

その顔を見て、信久はしまったと後悔した。余計なお世話だった。過ぎた干渉だった。なのに、動揺したせいでもっと余計なことを言っていた。

「わたし、そのビルの七階に勤めてるんですけどね。毎日お見かけするものですから」

「ああ、そうですか……」

おひょいさんは、一瞬ぎこちなく笑うと、すぐさま真顔になり、視線を本に戻した。会話が続かなくなった。

信久はばつが悪くなり、その場を離れた。

しばらくして、顔が熱くなった。なんて余計なことを——。老人は相手をされればよろこぶものだと思っていた。そういう決めつけがあったから、深く考えることもなく声をかけてしまった。

自分たちは老人に対して傲慢なのだ。おひょいさんは、一人でいたいからそうしているだけなのだ。

自己嫌悪を覚えた。勝手に親しく思うなんて、相手には迷惑なことだ。そんな当たり前のことに、自分は気づかなかった。

翌日、おひょいさんはパティオに現れなかった。

一日落ち着かなかった。

その翌日も、藤棚の下におひょいさんの姿はなかった。

信久は責任を感じた。見られているのかと思えば、誰だって愉快ではない。自分が来づらくしてしまったのだ。

3

部長が言ったとおり、販促用イベントのスペースとして売り込みをかけると、代理店を通じて企業から問い合わせが殺到した。

「どうだ、おれの読みは当たったろう」部長の鼻息がますます荒くなる。

ただ社内からは疑問の声も上がった。中には、ホットドッグの大食い競争とか、濡れたTシャツ・コンテストとか、イメージを損ねるものが多々あったからだ。

「テレビの視聴率だって俗っぽいものが獲《と》るんだよ。仕方がねえだろう」

部長は強行の構えだ。

おひょいさんは一週間後、パティオに現れた。藤棚の下で読書をしていたのだ。その姿を見つけたときは、うれしくて自然と頬がゆるんだ。

おそらく小さな葛藤はあったにちがいない。年配者の自意識がどの程度のものなのか見当もつかないが、心のどこかで「気にすることはない」と自分に言い聞かせ、やって来たのだ。

信久は胸を撫で下ろした。もう声はかけるまいと思った。

おひょいさんは、相変わらず一人だった。奥さんがいる気配はまるでない。独居老人なのだと、結論づけざるを得なかった。

友人はいないのだろうか。父は地区のシルバー・サークルに入っている。母も生前は入っていた。趣味の会がたくさんあり、退屈はしないと言っていた。

東京にだってその手の集まりはあるはずだ。おひょいさんが誰かといるところを見たら、なんとなく安心できる気がするのだが。

いいや、それがおせっかいなのだ――。信久は心の中で自分をたしなめた。一人でいる人間を「淋しい」と決めつけるのは間違っている。アローンとロンリーは似て非なるものだ。

また父の顔が浮かんだ。おひょいさんのことを考えると、つい父とダブってしまう。

父が家庭菜園に打ち込んでいると姉から教えられたのは、かなりほっとする近況だった。自由な時間を前にして、途方に暮れているわけではない。

電話をしなければと思いつつ、ずっと後回しにしている。母には毎月電話を入れていた。べつに用事がなくても、「どう、元気?」と声を聞いていた。男親にはどうも電話が入れ辛いところがある。大体話すことがないのだ。メールでも始めてくれればありがたいのだが、ワープロもいじったことのない父に、それは無理な相談だ。

そんなとき、パティオで小さな事件が起こった。指定された場所以外での喫煙を注意された若者数人が、警備員に暴行を働いたのだ。

若者たちは地方から来たグループだった。お台場の帰りに立ち寄ったらしい。警備員は五十代男性で、無抵抗のまま足や腰を蹴られていた。

駆けつけた別の警備員が警察に通報し、関係者全員が署に連れて行かれた。現場に目撃者が一人いた。おひょいさんだった。藤棚の下から、一部始終を見ていたのだ。

管理会社の人間として信久も同行を求められた。おひょいさんと同じパトカーに乗ることになった。

「お手数をかけてすいません」後部座席で、信久が頭を下げる。自己紹介もした。そしてどうしようか迷い、「いつぞやは失礼しました」と、過日の非礼を詫びた。

おひょいさんは、「いえ、こちらこそ」と軽く会釈するだけで、その後は窓の外に目をやり、警察署に着くまで口を利かなかった。

ただ無愛想というわけではなかった。信久に対して拒絶の雰囲気はなかった。サングラスを外していて、表情が穏やかだったのだ。

署では、加害者と被害者が個室で取調べを受け、信久とおひょいさんは刑事課の隅の応接セットで事情を聴かれることになった。

「久保田と言います」おひょいさんが刑事に問われて名乗った。「無職です。年齢は七十六歳。住所は港区……」

この場にいるのが悪いような気がして、信久は立ち上がった。「あの、ちょっとトイレに」刑事に断り、早足で廊下に出た。

こういう形でプライバシーを知りたいとは思わなかった。おひょいさんだっていやだろう。見ず知らずの人間に、年齢だの、家族の有無だのを知られるのは。

五分ほど時間を潰し、刑事課に戻ると、刑事が調書を作成していた。おひょいさんが話すことを鉛筆で書き写していく。

高齢者にしてはしっかりした受け答えだった。老人にありがちな話の誇張や飛躍がなく、順序だてて説明していた。それなりの学歴と職歴があるのだろう。

信久は事実関係を聞かれたのみで、拍子抜けするほど簡単な事情聴取だった。起訴するような事件ではないので、警察も形だけ整えたという感じだった。

パトカーで送るという申し出を辞退し、タクシーで帰ることにした。おひょいさんも一緒だ。

「鈴木さん、でしたね」二人で警察署前の通りに立ったとき、おひょいさんがぽつりと言った。「あなたには謝らなきゃならん」

「はい？」信久が聞き返した。

「前に声をかけてもらったとき、わたしはずいぶん愛想のない態度をとった」

「そんな」信久は苦笑した。「こっちこそ、馴れ馴れしく声をかけて、読書の邪魔をして」

「ちょうどあなたぐらいの息子がいてね」おひょいさんが鼻をひとつすする。「いちばん慣れてるはずが、逆に緊張してしまう」

「じゃあお互い様です。ぼくにはあなたぐらいの父親がいて、どうしても父を思い出しちゃうんです」

「おとうさんは、何してるの」

「前橋で一人暮らしです。母親が昨年、亡くなったものだから」

「そう。じゃあわたしと一緒だ。もっとも、こっちは若いころ離婚したから一人なんだけど」

「そうですか」

「ああ、若いころといっても五十だよ。この歳になると、還暦前は全員若者だ」

おひょいさんはそう言うと白い歯を見せて笑った。

「パティオはどうですか？」

「パティオ？」

「運河沿いの中庭ですよ。いつも読書をしてらっしゃる」

「そう、パティオって言うの。いいねえ。空いてるところが大好きだ」

「こっちは人が来ないから悩んでるんですよ」信久が顔をしかめてみせる。

「そうだろうね。あんな洒落た場所、爺さんに占拠させておくのはもったいない」

「そこまでは言いませんけど」

二人で笑った。おひょいさんは「あはは」と声まであげている。

なんだか、うれしかった。父親の年代全体に対して、親孝行でもした気がした。これで明日からは遠慮する必要もない。パティオで見かければ挨拶を交わせばいいのだ。

「あなたはやさしいね」おひょいさんがぽつりと言った。

「ぼくが、ですか？」

「そう。わたしが氏素姓《うじすじよう》を聴かれているとき、あなたは席を立った」

「トイレですよ」微笑んで手を振った。

「いやあ、ありがとう」軽く頭を下げる。

あらためて見ると、おひょいさんはハンサムだった。おまけに小顔で手足が長い。

若いころはさぞやもてたにちがいない。

おひょいさんは、散歩したいからとタクシーを断った。「足腰はいちばん大事だからね」自分のお尻をぽんぽんとたたき、サングラスをかけた。踵《きびす》をかえし、すたすたと歩いていく。

信久は引き止めなかった。馴れ馴れしくしすぎるのもよくないと思ったからだ。話をしてみれば、たいていの人間は警戒を解くものだ。パティオを通じて人の輪が広がるなら、それは素晴らしいことだ。今度企画として考えてみよう。信久は久しぶりに愉快な気分になった。

ところが翌日から、おひょいさんがまたパティオに来なくなった。一週間、姿を見せないのだ。

どういうことだ——？　自問するのだが、さっぱりわからない。

いきさつを話してある加奈子に聞いてみる。

「ポックリ逝ったとか」

「怒るぞ、この一九八〇年生まれめ」信久はさすがに腹が立った。

「いいじゃないですか。鈴木さんの親戚でもないんだし」

「そうは言っても気になるだろう。うちの親父とは同年代なんだよ」

「べつの静かな場所を見つけたんじゃないですか」

加奈子が呑気そうに言う。二十二歳なら、自分にしか関心がないのだろう。

「だったらいいんだけど……」

「最近、ベビーカーを押した主婦グループが来てるでしょう。あの人たち、結構うるさいんですよ。赤ん坊がビービー泣くし」

そうなのだろうか。品揃えを変え、バザーは二度やっていた。その成果で少しずつ来訪者が増えているのは事実だった。

いや、おひょいさんは会話を交わした翌日から来なくなったのだ。しかも二度とも。普通に考えれば、原因は自分だ。気に障ることでも言ったのだろうか。心当たりはまるでない。

窓の前に立つと、どうしても藤棚の下に視線が行ってしまった。そしてその回数は一日に十回はくだらなかった。

あの日のうしろ姿が目に焼きついている。そういえば、父は、どんなうしろ姿だったただろう。

家では順子が、またしても頬をふくらませていた。

例の寺が、次の日曜日、本堂の煤払《すすはら》いに女手をよこせと檀家に言ってきたのだ。

「冗談じゃないわよ。どうして寺の掃除に駆りだされなきゃなんないのよ」

「だから断ったんだろう？」信久が食事をとりながら聞く。

「当たり前でしょう。たいして世話にもなっていないのに」順子は大きくため息をついた。「わたしはね、そういう図々しいことを言ってくる態度が不愉快なの。うちは東京よ。わざわざ前橋まで来いって言ってるのよ」

「一応、知らせただけのことさ。うちが鈴木の墓の窓口になってるから。向こうだって当てにはしてないさ」

「それにしたって――」順子がテーブルに頬杖をつく。「ああ、そうだ。もうひとつ、畑を近いうちに閉鎖したいって言ってた」

「畑を閉鎖？　どういうことよ」信久が箸を止め、顔を上げた。

「さあ、詳しくは聞かなかったけど」

「そっちの方が大事だろう」つい声がとがった。

「何を怒ってるのよ」順子は不服そうだ。

急いで食事を済ませ、姉に電話をした。

「そうなのよ」姉はすでに知っていて、沈んだ声を出していた。「今すぐってわけじゃないけど、秋までに明け渡してほしいって。マンション業者に売り渡すみたい」

「あの因業《いんごう》坊主が」ふつふつと怒りがこみあげてきた。

「そうよ、檀家の年寄り連中が生きがいにしてた家庭菜園を。野菜が穫れれば、みんなでお寺に分けてあげたのに」

「おやじ、がっかりしてる？」

「してると思うよ。口では仕方がないとか言ってるけど。だってビニールハウスを作った矢先だもん」

「なんとかならないわけ」

「ならないわよ。契約書があるわけでもなし。月一万で借りてた土地だし」

姉は、父のために、つてをたどってどこかに畑を探すと言っていた。ただ、これまでのように近所というわけにはいかないだろう。そして老人同士のコミュニケーションの場は、マンション建設を機についえてしまうのだ。

順子にお茶をいれてもらい、ゆっくりとすすった。

一度のぞくか、おやじのところを――。鼻から息を吐いた。

ゴールデンウイークにも行かなかった。子供の春休みにも顔は出していない。墓の花はいつも姉に任せっきりだ。日帰りできる距離なのに。

「寺の煤払い、おれが行くわ」信久は伸びをして言った。「ついでにおやじの様子も見てくる」

「うそォ」順子が目を丸くする。「じゃあ、わたしも行く。亭主が行って女房が行かないとなると、陰で何を言われるかわかったものじゃないし」

「言わせておけよ、そんなもの」

「そこまで神経太くないの」

順子は食卓を片づけながら、「たまには八王子にも顔を出してよね」と付け加えた。

妻の実家にもしばらく行っていない。四十代は、責任だらけの年代だ。

二人の子供は置いていくことにした。「部活」と不機嫌そうに答えられたからだ。

「おう、よく来たな」父は照れたように顎を掻きながら言った。「まあ、上がれ」

車の音がしただけで、玄関の外まで迎えに出て来た。息子夫婦の到着を待っていたのが、ありありとわかった。

すっかり古くなった実家の居間に腰を下ろす。順子が素早く台所に行き、冷蔵庫に冷やしてあった麦茶をコップに注いで出した。

そういうものがあったことに信久が安堵する。生活は、しているのだ。

「寿司でも取るか。煤払いは午後だろう」

「お義父さん、いなり寿司を作ってきたんです」順子が重箱をテーブルに置いた。

「それと鰤《ぶり》の照り焼きも」

「やあ、これはおいしそうだ」父の顔がほころぶ。

三人で食卓を囲んだ。父はすっかり少食になった。いなり寿司二個で箸を休めている。

「信久は自炊はできるのか」

「うん？　簡単なものなら」

「嘘ばっかり。ご飯も炊けないくせに」順子が笑って茶々をいれた。

「いまから覚えておけ。あとあと役に立つぞ」

「ああ、わかった」

「今年になって、小さい炊飯器に買い換えてな。鍋とかフライパンも、小ぶりのものにしたら、後片づけが楽になった」

父は聞きもしないのに、自分から暮らしぶりを話した。知りたいような、知りたくないような。信久がいままで遠慮して聞かなかったことだ。

「煮物はおねえちゃんが週に一回作って持ってきてくれる。だいたいそれで足りる。

あとは干物を焼いたり、面倒なときは缶詰を開けたりして、それでなんとかやっている。油を使わないから、台所はきれいなもんさ。肉はもう食べたいとも思わないな」

父は淡々と話した。考えてみれば父と向き合って会話をしたのは、何年ぶりかも思い出せないほど、久しぶりのことだった。ずっと母を介してきた。姉がそばにいた。

食べ終えると、順子が後片づけをした。台所で梨《なし》をむいている。その背中を見てから、父が口を開いた。

「おとうさんは健康だ。心配はいらん。目とか足腰とかが弱ってきたら、家を売って老人ホームに入る。この土地は当てにするな」

「ああ、してないよ」

答えながら、どぎまぎした。そんな話が出てくるとは思わなかった。正月と法要だけじゃまずかろうと、義理のつもりで来ただけなのだ。

「それから、死んだときの戒名代は十万円でいい。それ以上は払うな」父は静かに話した。「おかあさんの戒名には三十万払った。だからおとうさんは安くていい」

「ああ、わかった」

「ぼける前に言っておかないとな」

「そんな、ぼけるだなんて――」

「準備は大事だ」

「まあ、そうだけど……」

父はリモコンを手に取り、テレビをつけた。漫才をやっていた。「あはは」と父が声をあげて笑った。信久は自分が情けなかった。なんて間抜けな受け答えしかできないのか。

「おい、信久」テレビを見たまま言った。

「うん。なに？」

「もう一人暮らしも慣れたからな」

「そう」

「心配されるのがいちばんいやだ」

「うん」

「淋しがってるなんて思われるのが、いちばんいやだ」

「ああ」

信久は答えに窮した。居間に沈黙が流れた。

父は畳に横になった。座布団を枕代わりにして。しばらくしたら小さないびきが聞こえてきた。

父はすっかり老けていた。半年が三年のような、変わりように思えた。

午後は夫婦で寺へ煤払いに行った。手伝いに来たのは孫がいるような年配者ばかりで、若い順子は大いに感心されることとなった。「東京からわざわざ。立派だねえ」おだてられて順子もまんざらでもなさそうだった。

ただ、住職はやはりいけ好かない男だった。金無垢《きんむく》のロレックスをこれ見よがしにはめている。信久が菜園について訊ねると、「こっちも相続税を払わなきゃならないのよ」と取りつく島がなかった。

墓地の並びにある菜園に順子と行ってみる。どの畑もよく手入れされていた。年寄りたちが小さな生きがいとして、愛《め》でてきた菜園だった。端に、父が作ったと思われる背丈ほどのビニールハウスがあった。中をのぞくと、竹の柵に沿って細いツルが伸びていた。おそらく収穫には間に合わないだろう。整理される運命にあるのだ。

これが信久の世代の菜園ならなんとも思わない。年寄りたちの努力の跡だから、せつなくなるのだ。

しばらく眺めていた。順子も黙りこんでいた。

4

おひょいさんは依然としてパティオに現れなかった。あの日以来、もう半月になっていた。そろそろ梅雨だ。そのあとは太陽が照りつける真夏が待っている。屋外でくつろげるのも、今のうちなのだ。

「あのおじいさん、どうしたんだろうね」

聞いても無駄なのに、つい加奈子に話を振ってしまう。

「さあ、海に帰ったんじゃないですか」

「馬鹿。多摩川のアザラシと一緒にするな」

「じゃあポックリでしょう」

「もういい、おまえは黙ってろ」

「そっちが聞いたんじゃないですか」

あかの他人なのにますます気になった。港パーク内で老人を見かけると、おひょいさんではないかと凝視するのが癖になってしまっている。

それにしても、どうしておひょいさんは来なくなってしまったのか――。

パティオでの催し物はその回数を増やしていった。予定は三ヵ月先まで埋まっている。格にこだわらなければ、クライアントはいくらでも名乗り出た。

坪井部長は鼻高々だった。本社から重役が視察に現れ、短期間での成果を褒め称えたからである。

坪井は新たに予算を獲得し、パティオを本格的なイベントスペースにすると言い出した。

「毎度ステージを組んだり、モニターを用意するのは不経済だから、常設のものを作っちまおう。モニターで企業のCMや映画の予告編を流したりすれば、フル稼働で利益が出るだろう」

「うるさくないですか。逆に付近のテナントから苦情が出るような気がするんですが」

信久は異議を唱えた。そもそも、都会の大人がくつろげるスペースとして、パティオを作ったのだ。イベント主体では当初の趣旨から外れる。

「いいんだよ。臨機応変だ。それで客が来るんだから、テナントだって文句は言うめえ」

そして常設ステージを藤棚の場所に作ると言って、坪井は図面を広げた。

「藤棚を壊すんですか？」信久は驚いた。

「ああ、撤去だ」

「だめですよ、そんなの」思わず反論していた。「絶対に反対です。十年かかって育ったものなんですよ。だいいち緑の豊かさは港パークの売り物でしょう」

「しょうがねえだろう。広場全体が見渡せるのは、あの場所だけなんだから」

「だめです。認めません」

強い口調で言った。あの場所は、おひょいさんの指定席なのだ。

「何を言ってるんだ。どうしておまえに決定権があるんだよ」

「だったら、せめて藤棚を移動させてください」

「無理だ。タイルを剝がして植え直さなきゃならないだろう。そんな手間はかけられん」

「じゃあだめです」

父の顔が浮かんだ。父は菜園を奪われようとしている。年寄りの楽しみを、いとも簡単に。

「だめって……」坪井が顔色を変えた。「おまえ、誰に向かって物を言ってるんだ」

「テナントの意見を聞きましょう。大半が反対すると思います」

「パティオはうちが管理してるんだよ。どうして店子《たなこ》の意見を聞かなきゃならんのだ」

「そういう理屈で弱者は迫害されるんですよ」

そうなのだ。父には文句をいう権利もない。そして、おひょいさんにも。だが世の中はそれでいいのか。老人には既得権があるはずだ。長く生きた人間の、そこにいていい権利だ。

「おい、鈴木。もしかして左翼か?」坪井が顔を赤くした。

「ああ、いいですねえ、その言葉。だったら『藤棚を守る会』を作って、港パーク内で署名運動しましょうか」

勢いで言っていた。部長を敵に回して抵抗するのは、サラリーマン生活で初めてのことだった。でもいい、どうせ二年だけの上司なのだ。

「ただいまー」そこへ加奈子が外出から帰ってきた。「ねえねえ、鈴木さん、おひょいさん発見」顔をほころばせ、手をひらひらさせて言った。

「ほんと?」信久が身を乗り出す。「どこで、どこで」

「灯台下暗し。駅ビルの屋上」

加奈子が顎で窓の外をしゃくった。駅ビルは、パティオをはさんだ真向かいだ。

「おい、話は終わってないぞ」

坪井が凄む。無視して加奈子に説明を求めた。

「最近、駅ビルが屋上の緑化を始めたらしくて、フランス式庭園が再現されてるんですよ。それがまだ知られてないみたいで、がらがらなんです」

なんだ、そうなのか。信久は椅子に深くもたれかかった。胸の中の、くすんでいた思いがみるみる晴れていく。おひょいさんは、一人で過ごすのにもっといい場所を見つけていたのだ。

なんだよ。心配して損したよ——。

「話をごまかすなよ。おまえ確か署名運動とか言ったな」と坪井。

「眺めもいいんですよ。東京タワーがばっちりだし」と加奈子。

「そうか。じゃあ、一回視察しないとな」

「これは本社に報告するからな」

「パティオの客、獲られちゃうかもしれないですよ」

「いいさ。港パーク全体が発展すれば」

「おい、無視するな」

「ちょっと、おれ見てくるわ」

信久が腰を上げる。じっとしていられなくなったのだ。いや、待てよ——。口の中でつぶやき、その場に立ち尽くす。

これが余計なお世話なのだ。おひょいさんと鉢合わせしたら、向こうはいやがるだろう。おひょいさんは、誰にも邪魔されたくないのだ。

「どうしたんですか。行かないんですか」

「無視するなって言ってるだろう」

「……やめとくわ。べつに話すこと、ないし」

「もういい。とにかく藤棚は撤去だ。この決定は変えんからな」

坪井が顔を真っ赤にして部屋を出て行く。そのうしろ姿を、加奈子が不思議そうに見ていた。

「なにかあったんですか？」

「うん？　ああ……部長がパティオの藤棚を壊すんだって」

「あ、それ無理。緑化促進で区の補助金もらってるから」

日が傾きかけたころ、信久は駅ビルの屋上をのぞきに行った。この時間ならおひょいさんも家に帰っているだろうと思ったのだ。

加奈子の言うとおり、数人の来訪者がいるだけだった。数ヵ所にテーブルと椅子とパラソルがあり、それぞれが自由にくつろいでいる。フランス式庭園は大袈裟だが、それでも植え込みは美しく刈りそろえられている。

北の方角には東京タワーがそびえ立っていた。都心の高層ビル群も一望できた。天気のいい日なら、きっと富士山だって見えることだろう。パティオより、風も楽しめそうだ。

いい場所、見つけましたね——。心の中で、おひょいさんに話しかけていた。

そして父にも思いが及んだ。寺の家庭菜園をなくしても、どこか別の場所に憩いの空間を見つけるにちがいない。

ネクタイを緩め、深呼吸した。すがすがしい気分で、胸を大きく反らせた。

しばらくその場にいた。ずっと穴場でいてほしいな。そんなことを思った。港パークは、空いていても構わない。どこも人で溢《あふ》れかえっているなんて、やりきれない。

そのとき、エレベーター・ホールから人が出てきた。背の高い男。白髪。おひょいさんだとすぐにわかった。どうして、こんな時間に——。あわてて視線をそらし、植え込みの陰にうずくまった。反射的にそうしていた。

見られただろうか。動悸《どうき》が速まった。馬鹿だな、自分は。わざわざおひょいさんのテリトリーを荒らしに来て。申し訳ない気持ちがこみ上げた。

植え込みからそっとのぞく。おひょいさんは警備員になにやら訊ねていた。方向転換して、こちらに向かって歩いてくる。

信久は顔を伏せた。ええと、何をしている振りをしよう。どう考えてもこの体勢は不自然だ。

背中に足音が聞こえた。その音が大きくなる。ますます焦った。

「鈴木さん、でしょ」声をかけられた。

「あ、はい」弾けるように立ち上がった。

「なにしてるの、こんなところで」

「あ、いや、その」汗がどっと噴き出てくる。「お金をですね、植え込みの中に落としまして」咄嗟にそんな嘘を言っていた。

「一緒に探そうか」

「いえ、その、十円玉、ですから……」信久はしどろもどろだった。

おひょいさんが、にやにやと笑っている。

「わたしは、サングラスを昼間ここに忘れてね。明日でもいいんだが、まあ、暇だから……」

「そうですか」

「警備員に聞いたら、下の警備室で預かってるって」

「よかったですね」

「ここは、よく来るの？」

「いえ、初めてです。その、ぼく、二度とここへは来ませんから」勝手に口が動いていた。「もう、お邪魔したりはしませんし、安心して、ここで読書をなさってください」変なことを言っているとも思わなかった。

おひょいさんが、目を伏せ苦笑した。

「いいじゃない。来たって。誰が来てもいい場所だから」

「いえ、来ません。そんな暇はないし、駅ビルはうちの管理外だし、来ないって言ったら来ないんです」

信久は直立不動の姿勢でまくしたてた。頬が軽くひきつる。ワイシャツの下で汗が一筋、背中を伝っていった。

「じゃあ来ないわけ？」

「来ません」

「ふふっ」

しばし沈黙が流れた。ビル風が、庭園の樹木の葉をかさかさと鳴らした。

「……わたしはね」おひょいさんがぽつりと言った。「一人暮らしで仕事もしていないから、誰とも口を利かない。とくにここに越してきてからはそうだ。近所付き合いがないから、へたをすると一月、会話らしい会話を交わさないこともある」

「はい」

「そういうのには、すっかり慣れた。最初は話し相手がほしくて地域のシルバー・サークルをのぞいたりもしたが、だめだった。商社に勤めていたころのプライドを引きずって、ついお高くとまってしまう」

「商社、でしたか」

「物欲しそうな顔をしたくない。歳をとっても毅然としていたい」

「毅然としてます」

「だからいっそのこと孤独を受け入れることにした。選択の問題だ。わたしは一人でいることを選んだ。中途半端な顔見知りも作りたくないから、サングラスをして、自分なりに近寄り難くした。そこへ……あなたが声をかけてきた」

「すいません」

「いや、うれしかったんだ」おひょいさんが人懐《ひとなつ》こい笑みを見せた。「ただ、びっくりして、どう対応していいのやら戸惑ってしまった。若い人から声をかけられるなんて、ちょっと思い出せないくらい、久しぶりのことだったからね」

「そうでしたか」

「ところが、それで、やけに人恋しくなってしまった。一人がいいと言いつつ、そうそう言葉どおりにはいかない。あの中庭……パティオだっけ、そこに行くと、あなたがまた声をかけてくれるのではと期待してしまう」

「そういうことでしたら、いつでも……」

信久が顔を上げる。また沈黙があった。年輪が刻まれた穏やかな表情に、つい見入ってしまう。おひょいさんは静かな目で口を開いた。

「いいや、そうはいかない」

「……どうしてですか」

「最後まで恰好をつけさせてほしい。尊重してほしい。若いころからそうやって生きてきた。いまさら変えたくもない」

凛《りん》とした声だった。耳に心地よく響いた。

おひょいさんが夕陽を見た。顔半分がオレンジ色に染まっている。信久は返す言葉がなかった。四十五年生きただけの人間が、何を言っても失礼な気がした。

「わたしは、ずいぶん恥ずかしいことを言ってしまったね」おひょいさんが頭を掻く。

「そんな——」

「あなたはもうここへは来ないと言った。だから話した」

「はい。来ません」

「たまには来てもいいけど」

「はい。たまには来ます」

おひょいさんが相好をくずす。その顔は、とてもチャーミングに見えた。

「じゃあ、さようなら」おひょいさんは小さく会釈して、踵をかえした。

「さようなら」信久はやさしい声で言い、その場で見送った。

どういう感想を抱いていいのか、信久にはわからなかった。

ただ、心はやけに温かかった。きっと、人の気持ちを聞いたからだろう。肩からすうっと力が抜けた。

遠くでカラスが鳴いていた。それが合図ででもあるかのように、次の瞬間、東京タワーに照明が灯《とも》った。

解説

酒井順子

ちょっとした、恋。

これはどんな場面においても、私達の気持ちを弾ませてくれるものです。よく行くコンビニのレジの人、とか。宅配便を届けにきてくれる人、とか。スポーツジムのインストラクターさん、とか。あらゆる場所においてちょっとした恋は発生し得《う》るものであり、ちょっとした恋の相手がいると思うだけで、その場に身を置く張り合いが生まれてくる。

会社などという場所は、特にその手の心情が発生しやすいものです。思い返してみれば私も会社員時代は、一生懸命にその手の心情を刺激して、ダレ気味なモチベーションを向上させようとしていたものでしたっけ。

たとえば、長々と続くつまらない会議。出席者がおじさんと女だけ、という時はいくらフトモモをつねっても睡魔に勝てないのですが、かねてより憎からず思っていた格好いい営業の男性が来るとなると、俄然《がぜん》目は冴える。いつもより発言の数が増えたりもしたものです。

また、嫌な得意先に行かなくてはならないという時も、その格好いい営業が一緒となると、前の日から少しウキウキすらしたのでした。一番気に入っているスーツなど着て、足が痛くなるのはわかっているのに華奢《きやしや》なパンプスなんかをはいて、意気揚揚《ようよう》と家を出た。

「ちょっとした恋」の相手と、本当にどうこうしたいわけではないのです。が、その手の恋の相手とは、仕事の場においては、おいしいおかずのようなもの。どれほど大量の仕事でも、つまりは山盛り一杯の丼飯《どんぶりめし》でも、そのおかずさえあればペロッと平らげることができる、という気分になることができるという相手なのであり、かといってそのおかずが毎日続いたら、飽きてしまうのです。

「マドンナ」の主人公である荻野課長は、しかし自分の部にやってきた倉田知美のことを、「おいしいおかず」として割り切って見ることはできなかったのでした。結婚して十五年。会社員生活において、何人かの部下のことを好きにはなってみたものの、具体的な成果をあげたことがないからこそ余計に、倉田知美にグッときてしまった彼。四十二歳という、ちょっと自信が失われたり、様々なことに飽きが来るというお年頃がまた、彼の恋心に拍車をかけたのでもありましょう。

家庭を持った中年男性が、「ちょっとした恋」ではなく「本当の恋」をしてしまうと、話はやっかいです。独身の部下である山口とは殴《なぐ》り合いの喧嘩《けんか》をし、妻には恋心を悟られる。大人になってからのハシカは重いと言いますが、荻野課長の心は、完全に倉田知美に支配されてしまうのです。

私の場合は、この物語を倉田知美の視線で読み始めたため、彼女に心を奪われる荻野課長の姿に、郷愁のようなものを覚えたのでした。会社勤めをした経験がある女性なら誰しも、若い時に中年の男性から懸想《けそう》された経験を持つはず。中年男性は、一生懸命に自分の心情をこちらに悟られまいとするわけですが、こちらからしたら彼の好意など、最初からわかっている。わかっているからこそ、ついその好意を利用したりもしてしまう。

しかし中年男性は、二十代の女性が思っているほど、幻想としての恋に慣れてはいないのでした。突然、不器用な告白などされて、

「だからどうしたいというのだ……？」

と、女性としては度胆を抜かれたりするのです。

しかし私は、「マドンナ」を読んで理解したのでした。あのとき彼等は、〝少年還り〟していたのだ、と。結婚や子育てを経て、しばらく恋愛活動から遠ざかっているうちに、恋愛筋《きん》のようなものはすっかり衰えた彼等。そんな時に若い女の子が目の前に現われ、「好きになったかも」と意識した途端、中学生時代のように恋心は一気に膨《ふく》れあがり、恋愛筋はもう断裂寸前。「妻子」とか「会社員としての立場」みたいなものが朦朧《もうろう》としてきて、たまらず告白してしまったのでしょう。

二十代前半の頃、四十代の男性は自分と違う世界に住むおじさんに見えたものです。が、今自分が彼等と近い年代になってこの本を読むと、彼等の気持ちと立場がよく見えてくるのです。体制に従わず、一匹狼のようにしていたあの人。普段は全く存在感が無いのに、社員旅行の時だけ俄然張り切っていた、あの人。そして、地味ーな部署で地味ーな仕事だけしていて、「あの人はあれで満足なのだろうか」と周囲から思われながらも、穏やかな顔をしていたあの人。……それらの人全ての裏には、それぞれの事情とそれぞれの世界、そしてそれぞれの幸福があったのです。会社で見せているおじさんの世界とはまた別の世界が、彼等にはあった。

この本に収められている五本の作品の中には、色々な「二つの世界」のことが、書いてあるのでした。会社と家。男と女。中年と若者。都会と田舎。人は、自分のすぐ隣にある違う世界のことを知っているつもりでいるのだけれど、ふとした瞬間に「自分はあちら側のことを、全く知らないのだ」ということに、気付かされるものです。この本で描かれているのは、そのことに気付いた後に、戸惑いながらも何とかその溝を飛び越えようとしてみたり、向こう側の人に手をさしのべてみたり、はたまた溝に思いっきり落ちてみたりする人々の悲喜、というもの。

それにしても驚かされるのは、「奥田さんはなぜ、こちら側のこともこんなによくご存じなのだろう」、ということなのでした。

この場合の「こちら側」とは、つまりは女性の側の世界ということ。聖なるマドンナのように見える女性も、相手が変わればただの女なのである、とか。夫の恋を、たいていの妻はわかっているものなのである、とか。総合職女性と事務職女性の間にあるうっすらとした断絶のようなもの、とか。どれだけ女性と遊んでいようと、またどれだけ妻と共に暮らしていようと、男性というものはびっくりするほど女性の本当の姿を知らないものですが（私達は時にそれにイライラし、時にそのことに救われる）、しかし奥田さんは、その辺りのことをしっかりとわかっていらっしゃる。「こんなに女のことがわかっている人が夫だったら……、やりにくいだろうなぁ」と、思わせるのです。

この本は、中年のサラリーマンが読むと、おおいに「そうそう!」と思うことができる本なのだと思います。が、女性にとってもこれは、非常に役に立つ本。働く女性としての自分、妻としての自分、〝会社の若い女の子〟としての自分、といった姿が、男性からはどのように見られているのか。全てを読み終ってスカッとしたりしみじみしたりした後で、「男性は、意外と私達のことをよくわかっているのかもなぁ」と、ちょっと怖いような気分にもなる、一冊なのでした。

初出一覧

マドンナ　小説現代二〇〇〇年十一月号
ダンス　小説現代二〇〇一年十月号
総務は女房　小説現代二〇〇二年一月号
ボス　小説現代二〇〇二年四月号
パティオ　小説現代二〇〇二年七月号
単行本　二〇〇二年十月小社刊

|著者|奥田英朗　1959年岐阜県生まれ。プランナー・コピーライター、構成作家を経て1997年『ウランバーナの森』（講談社文庫）でデビュー。第2作『最悪』（講談社文庫）がベストセラーとなる。続く『邪魔』（講談社文庫）が大藪春彦賞を受賞。2004年『空中ブランコ』（文藝春秋）で直木賞を受賞した。その他の著書に『東京物語』（集英社文庫）、『野球の国』（光文社文庫）、『サウスバウンド』（角川書店）、『ララピポ』（幻冬舎）などがある。

マドンナ

奥田英朗《おくだひでお》

2005年12月15日第1刷発行
2008年 1月15日第6刷発行

発行者──野間佐和子
発行所──株式会社　講談社
東京都文京区音羽2-12-21　〒112-8001
電話　出版部（03）5395-3510
　　　販売部（03）5395-5817
　　　業務部（03）5395-3615

Printed in Japan

講談社文庫
定価はカバーに
表示してあります

デザイン──菊地信義
本文データ制作──講談社プリプレス制作部
印刷───株式会社廣済堂
製本───有限会社中澤製本所

落丁本・乱丁本は購入書店名を明記のうえ、小社業務部あてにお送りください。送料は小社負担にてお取替えします。なお、この本の内容についてのお問い合わせは文庫出版部あてにお願いいたします。　☆☆

ISBN4-06-275263-8

講談社文庫刊行の辞

二十一世紀の到来を目睫に望みながら、われわれはいま、人類史上かつて例を見ない巨大な転換期をむかえようとしている。

世界も、日本も、激動の予兆に対する期待とおののきを内に蔵して、未知の時代に歩み入ろうとしている。このときにあたり、創業の人野間清治の「ナショナル・エデュケイター」への志を現代に甦らせようと意図して、われわれはここに古今の文芸作品はいうまでもなく、ひろく人文・社会・自然の諸科学から東西の名著を網羅する、新しい綜合文庫の発刊を決意した。

激動の転換期はまた断絶の時代である。われわれは戦後二十五年間の出版文化のありかたへの深い反省をこめて、この断絶の時代にあえて人間的な持続を求めようとする。いたずらに浮薄な商業主義のあだ花を追い求めることなく、長期にわたって良書に生命をあたえようとつとめるところにしか、今後の出版文化の真の繁栄はあり得ないと信じるからである。

同時にわれわれはこの綜合文庫の刊行を通じて、人文・社会・自然の諸科学が、結局人間の学にほかならないことを立証しようと願っている。かつて知識とは、「汝自身を知る」ことにつきていた。現代社会の瑣末な情報の氾濫のなかから、力強い知識の源泉を掘り起し、技術文明のただなかに、生きた人間の姿を復活させること。それこそわれわれの切なる希求である。

われわれは権威に盲従せず、俗流に媚びることなく、渾然一体となって日本の「草の根」をかたちづくる若く新しい世代の人々に、心をこめてこの新しい綜合文庫をおくり届けたい。それは知識の泉であるとともに感受性のふるさとであり、もっとも有機的に組織され、社会に開かれた万人のための大学をめざしている。大方の支援と協力を衷心より切望してやまない。

一九七一年七月

野間省一

講談社文庫　目録

逢坂　剛　燃える蜃気楼(上)(下)
逢坂　剛　新装版 カディスの赤い星(上)(下)
逢坂　剛 M・ルブラン原作　奇巌城
オノ・ヨーコ 飯村隆彦編　ただの私《あたし》
オノ・ヨーコ 南風椎訳　グレープフルーツ・ジュース
折原　一　倒錯のロンド
折原　一　水の殺人者
折原　一　黒衣の女
折原　一　倒錯の死角〈201号室の女〉
折原　一　101号室の女
折原　一　異人たちの館
折原　一　耳すます部屋
折原　一　倒錯の帰結
折原　一　蜃気楼の殺人
折原　一　叔母殺人事件〈偽りの館〉
大橋巨泉　巨泉〈人生の選択〉
大橋巨泉　巨泉流 成功!海外ステイ術
太田忠司　紅《べに》天蛾《すずめ》〈新宿少年探偵団〉
太田忠司　鴇色の仮面〈新宿少年探偵団〉
太田忠司　まぼろし曲馬団〈新宿少年探偵団〉
太田忠司　黄昏《たそがれ》という名の劇場
小川洋子　密やかな結晶
小川洋子　ブラフマンの埋葬
小野不由美　月の影　影の海(上)(下)〈十二国記〉
小野不由美　風の海　迷宮の岸〈十二国記〉
小野不由美　東の海神《わだつみ》　西の滄海〈十二国記〉
小野不由美　風の万里　黎明の空(上)(下)〈十二国記〉
小野不由美　図南の翼〈十二国記〉
小野不由美　黄昏の岸　暁の天〈十二国記〉
小野不由美　華《か》胥《しょ》の幽夢《ゆめ》〈十二国記〉
乙川優三郎　霧の橋
乙川優三郎　喜知次
乙川優三郎　屋烏《おくう》
乙川優三郎　蔓の端々
乙川優三郎　夜の小紋
恩田　陸　三月は深き紅の淵を
恩田　陸　麦の海に沈む果実
恩田　陸　黒と茶の幻想(上)(下)
恩田　陸　黄昏の百合の骨
奥田英朗　ウランバーナの森
奥田英朗　最悪
奥田英朗　邪魔(上)(下)
奥田英朗　マドンナ
乙武洋匡　五体不満足〈完全版〉
乙武洋匡　乙武レポート'03版
大崎善生　聖《さとし》の青春
大崎善生　将棋の子
大崎善生　編集者T君の謎〈将棋業界のゆかいな人びと〉
押川國秋　十手人
押川國秋　勝山心中
押川國秋　捨て首〈臨時廻り同心日下伊兵衛〉
押川國秋　中山道の雨〈臨時廻り同心日下伊兵衛〉
押川國秋　母の剣法〈臨時廻り同心日下伊兵衛〉
押川國秋　佃の渡し〈臨時廻り同心日下伊兵衛〉
押川國秋　辻斬り
押川國秋　八丁堀日和〈臨時廻り同心日下伊兵衛〉
大平光代　だから、あなたも生きぬいて

講談社文庫　目録

講談社文庫　目録

加来耕三　「風林火山」武田信玄の謎〈徹底検証〉
加来耕三　天璋院篤姫と大奥の女たちの謎
香納諒一　雨のなかの犬
神崎京介　女薫の旅
神崎京介　女薫の旅　灼熱つづく
神崎京介　女薫の旅　激情たぎる
神崎京介　女薫の旅　奔流あふれ
神崎京介　女薫の旅　陶酔めぐる
神崎京介　女薫の旅　衝動はぜて
神崎京介　女薫の旅　放心とろり
神崎京介　女薫の旅　感涙はてる
神崎京介　女薫の旅　耽溺《たんでき》まみれ
神崎京介　女薫の旅　誘惑おって
神崎京介　女薫の旅　秘に触れ
神崎京介　女薫の旅　禁の園へ
神崎京介　女薫の旅　色と艶と
神崎京介　女薫の旅　情の限り
神崎京介　女薫の旅　欲の極み
神崎京介　女薫の旅　愛と偽り

神崎京介　女薫の旅　今は深く
神崎京介　滴《しずく》
神崎京介　イントロ
神崎京介　イントロ　もっとやさしく
神崎京介　愛技
神崎京介　無垢の狂気を喚び起こせ
神崎京介　h　エッチ
神崎京介　h＋　エッチプラス
神崎京介　h＋α《エッチプラスアルファ》
加納朋子　ガラスの麒麟
加納朋子　コッペリア
かなざわいっせい　ファイト！〈麗しの名馬、愛しの馬券〉
鴨志田穣・西原理恵子　アジアパー伝
鴨志田穣・西原理恵子　どこまでもアジアパー伝
鴨志田穣・西原理恵子　煮え煮えアジアパー伝
鴨志田穣・西原理恵子　もっと煮え煮えアジアパー伝
鴨志田穣・西原理恵子　最後のアジアパー伝
鴨志田穣・西原理恵子　カモちゃんの今日も煮え煮え
角岡伸彦　被差別部落の青春

角田光代　まどろむ夜のUFO
角田光代　夜かかる虹
角田光代　恋するように旅をして
角田光代　エコノミカル・パレス
角田光代　ちいさな幸福〈All Small Things〉
角田光代　あしたはアルプスを歩こう
角田光代　庭の桜、隣の犬
川井龍介　122対0の青春〈深浦高校野球部物語〉
金村義明　在日魂
姜尚中　『アリエス』編集部編　姜尚中にきいてみた！〈東北アジア・ナショナリズム問答〉
岳真也　密事《みそかごと》
岳真也　溺《おぼ》れ花《ばな》
片山恭一　空のレンズ
風野潮　ビート・キッズ　Beat Kids
風野潮　ビート・キッズII〈Beat Kids II〉
川端裕人　せちやん〈星を聴く人〉
鹿島茂　平成ジャングル探検
片川優子　佐藤さん
神山裕右　カタコンベ

講談社文庫　目録

2007年12月15日現在